Satanismus

Unterscheidung

Christliche Orientierung im religiösen Pluralismus

Herausgegeben von
Reinhart Hummel und Josef Sudbrack

Bernhard Wenisch

Satanismus

Schwarze Messen — Dämonenglaube — Hexenkulte

Matthias-Grünewald-Verlag Mainz
Quell Verlag Stuttgart

CIP-Titelaufnahme der Deutschen Bibliothek

Wenisch, Bernhard:
Satanismus: schwarze Messen — Dämonenglaube — Hexenkulte /
Bernhard Wenisch. — Mainz: Matthias-Grünewald-Verl.;
Stuttgart: Quell-Verl., 1988
(Unterscheidung)
ISBN 3-7867-1368-5 (Matthias-Grünewald-Verl.) kart.
ISBN 3-7918-2273-X (Quell-Verl.) kart.

2. Auflage 1989

Umschlag: Peter Offenberg Grafik
Gesamtherstellung: Georg Aug. Walter's Druckerei GmbH,
6228 Eltville am Rhein

Christliche Orientierung im religiösen Pluralismus

Zum Anliegen der Reihe „Unterscheidung"

Wo christlicher Glaube lebt, lebt auch der Mut zum Unterscheiden. Von Paulus her (Gabe der Unterscheidung, 1 Kor 12,10) spannt sich der Bogen bis hin zur Gegenwart, zu Karl Barths „Nein" und Romano Guardinis „Unterscheidung des Christlichen". Gemeint ist stets ein Zweifaches: Unterscheiden, um deutlicher zu erkennen, besser zu verstehen und sich tiefer anzueignen; aber auch unterscheiden, um das Falsche vom Wahren abzusondern, das Gute vor dem Bösen zu schützen und das Wirkliche vom Illusionären zu unterscheiden. Stets erfuhr man dabei, daß ein wirkliches Prüfen (Röm 12,2; Eph 5,10) zum Selbstprüfen wird (Matth 6,22f; 7,3ff): Ob man Gottes Ruf in die Gegenwart hinein vernimmt oder sich ihm verschließt (Hebr 4,7ff). Und stets wußte man, daß im eigenen Mühen um Unterscheidung und Beurteilung Gottes Geist vernehmbar wird und daß das Sprechen aus der Kraft des Geistes (Joh 14,26; 16,7) niemanden vom eigenen Beurteilen dispensiert.

Die Zeit des Glaubens an die Machbarkeit aller Dinge, des blinden Vertrauens in Wissenschaft und Technik, ist vorbei. Die Zukunft des Menschengeschlechts ist dunkel geworden. Der Fortschrittsoptimismus ist umgeschlagen in Skepsis und Angst. Das ist der Boden, aus dem neue religiöse und weltanschauliche Phänomene erwachsen: diffuse Trends, neue Bewegungen, rettende Archen. Der alte Machbarkeitsglaube sucht nach neuen Hebeln: nach Therapien und Techniken der Bewußtseinsveränderung, nach esoterischen Erkenntnissen und okkulten Hilfen zur Lebensmeisterung. Aber auch die Sehnsucht nach Transzendenz und Geheimnis meldet sich, das Verlangen nach metaphysischer Geborgenheit und religiöser Heimat. Wem das Religiöse am Herzen liegt, der ist dankbar für diese Zeichen der Zeit und erkennt hinter der zeitbedingten religiösen Welle etwas Tieferes, daß nämlich der Mensch „unrettbar

religiös“ ist. Er wird diese Zeichen der Zeit ernst nehmen und damit rechnen, daß Gottes Geist und Wirken auch jenseits der Grenzen des verfaßten Christentums spürbar sind.
Aber nicht alle Äußerungen der neuen religiös-weltanschaulichen Bewegtheit entstammen dieser Quelle. Es steckt in all dem auch viel Irrtum und Abwegigkeit, Götzendienst und Gefährdung des Menschlichen. Was wachsen und gute Frucht bringen will, muß sich der Beurteilung und Bewertung stellen. Der kritische Dialog mit den neuen — und oft doch altbekannten — Phänomenen dient nicht nur Christen, die bis in Theologenkreise hinein von der „neuen Unübersichtlichkeit“ verwirrt sind. Er kommt auch dem zugute, was in diesen Phänomenen bemerkenswert und zukunftsträchtig ist.
Die Themen liegen auf der Hand: Aberglaube, Magie, Menschen- und Naturvergottung; sublime intellektuelle oder ästhetische Gnosis mit dem Anspruch, die Welträtsel zu entziffern und die Mystik zu entschleiern; Geisterglaube und Hexenkult; Jugendsekten und vagabundierende Religiosität; Wiederkehr archaischer Religionen samt ihren Göttinnen und Göttern; Therapieformen als Religionsersatz; Weltdeutungen, die die Wirklichkeit verfehlen, und pseudo-wissenschaftliche Gesamtentwürfe, die sich der Prüfung durch Erfahrung und Vernunft entziehen.
Dieser Wildwuchs fordert die christliche Gabe der Unterscheidung heraus, die am Evangelium Jesu Christi orientiert ist. Ideologie- und Religionskritik also nicht als Selbstzweck, sondern im Dienst der „Unterscheidung des Christlichen“. Diesem Unterscheiden aus dem Glauben, aus der Verbundenheit mit der Tradition des Christentums, aus dem heutigen christlichen Leben und Erfahren heraus möchte sich die neue Buchreihe stellen. In handlicher Form sollen Themen aus dem oben umrissenen Bereich behandelt werden. Autoren von Kompetenz und Engagement werden angegangen.
Herausgebern, Verfassern und Verlagen ist es ein Anliegen:
Daß auch der Leser ohne Fachbildung mit den Darstellungen zurecht kommt — das betrifft Sprachstil, Aufmachung und Darbietung. Daß der Leser eine begründete Darstellung der angesproche-

nen Phänomene bekommt — das betrifft die Sachkunde des Verfassers.
Daß dem Leser Hilfen zur Unterscheidung und zur Entscheidung gegeben werden — das betrifft das engagierte Urteil der Autoren.
Daß dies alles in Ehrfurcht vor fremder Religiosität geschieht und auch in der Bereitwilligkeit, zu lernen und sich selbst zu korrigieren — das betrifft die Achtung vor jedem Menschen, wie sie Jesus uns gelehrt hat.
Die beiden Herausgeber sind Mitglieder der beiden großen Kirchen; sie wissen sich in diesem Anliegen eins; sie wissen auch, daß hier eine der wichtigsten Fragen an die Kirchen von heute und morgen sich stellt: mit den neuen religiösen und weltanschaulichen Entwürfen und Bewegungen ins Gespräch zu kommen — behutsam, verstehend, zugleich kritisch wach und christlich engagiert.

Reinhart Hummel — Josef Sudbrack S.J.

Inhalt

Einleitung

Wir erleben gegenwärtig, ca. 500 Jahre nach dem Erscheinen der „Hexenbulle" Papst Innozenz VIII. (1484) und des „Hexenhammers" der beiden Inquisitoren Jakob Sprenger und Heinrich Institutoris (1487), ein erstaunliches Phänomen: Während man in der katholischen Kirche — manchmal etwas zögernd — eingesteht, daß die Hexenverfolgungen der frühen Neuzeit ein dunkles Kapitel in der Kirchengeschichte darstellen und die Kirche damals einem kollektiven Wahn zum Opfer gefallen ist, treten in aller Öffentlichkeit Hexen und Satanisten auf und verkünden sogar im Fernsehen, sie würden tatsächlich das praktizieren, was man den Hexen der frühen Neuzeit vorwarf: Sie seien mit dem Teufel oder mit Dämonen im Bund und hätten dadurch schwarzmagische Kräfte, die sie auch zur Tötung von Menschen einsetzen könnten. Andere, die sich ebenfalls als Hexen bezeichnen, behaupten, die Hexen der Vergangenheit seien Anhänger einer heidnisch-matriarchalen Religion gewesen, die im Untergrund bis heute fortbestehe; sie selbst fühlen sich als gegenwärtige Protagonisten dieses uralten Kultes.
Sowohl in der katholischen als auch in der evangelischen Kirche gibt es Gruppierungen, die auf diesen neuen Okkultismus in der Weise reagieren, daß sie grundsätzlich seine Voraussetzungen übernehmen. Sie sagen, die modernen Hexen und Satanisten seien wirklich dem Bann böser Geister, letztlich des Satans selbst, verfallen. Sie stellen sich diese Geistwesen sehr konkret vor und stützen diese Sicht mit biblischen Argumenten. Vor allem zeigten die biblischen Perikopen über Jesu exorzistisches Wirken, daß Dämonen unmittelbar vom Menschen Besitz ergreifen könnten; es sei aber auch klar, daß sich der Mensch freiwillig in den Einflußbereich solch gefährlicher Wesen begeben könne.
Demgegenüber stellen sich viele Theologen in beiden Kirchen — schon seit längerer Zeit — auf den Standpunkt, man müsse „Abschied vom Teufel" nehmen, wie es ein katholischer Alttestamentler formuliert hat. Die kirchliche Teufelslehre sei zu einem guten

Teil dafür verantwortlich, daß es zum Hexenwahn gekommen sei und daß entsprechende Vorstellungen bis heute fortbestünden; aber auch die erwähnten Auswüchse moderner Schwarzmagier gäbe es nicht, wenn nicht die Teufelsvorstellung von der kirchlichen Verkündigung so tief in die Seelen der Menschen eingesenkt worden wäre.

Das Lehramt der katholischen Kirche hat auf die Kritik des Teufelsglaubens ablehnend reagiert und die traditionelle Lehre vom Satan und den Dämonen bestätigt, freilich mit einigen Differenzierungen.

Das vorliegende Buch, das in seiner Thematik in Zusammenhang steht mit einer von mir unter dem Pseudonym Christian Weis veröffentlichten Arbeit über okkulte Praktiken in parapsychologischer und theologischer Sicht[1], will zunächst informieren. In kurzen Zügen soll die Szene der heutigen Hexen und Satanisten ebenso dargestellt werden wie die konkrete Gestalt von als Besessenheit deklarierten psychischen Ausnahmezuständen. Das Buch will aber auch orientieren. Es nimmt Stellung gegen einen naiven Teufelsglauben, den man nicht nur in der Szene selbst findet, sondern auch bei den oben genannten christlichen Gruppierungen, die die heutigen Hexen und Satanisten als völlig unter der Macht des Teufels stehend bewerten. Demgegenüber wird gezeigt, daß die Mentalität und die Praktiken der modernen schwarzmagischen Okkultisten auch verständlich gemacht werden können, ohne auf das Wirken böser Geister zurückzugreifen. Analoges gilt auch für die Besessenheit, also für jenes Phänomen, das die Hauptstütze dieser Form des Teufelsglaubens ist.

Dennoch wird die christliche Auffassung, es gebe von Gott abgefallene, persönliche satanische Mächte, in diesem Buch nicht einfach als überholt erklärt werden. Es bestehen gute Gründe, an dieser Lehre festzuhalten. Somit richtet sich das Buch nicht nur gegen einen naiv-magischen Teufelsglauben, sondern auch gegen eine vollständige Entdämonisierung des Kosmos. Diese hätte nämlich zur

[1] C. Weis, Begnadet, besessen oder was sonst? Okkultismus und christlicher Glaube, Salzburg 1986.

Konsequenz, daß man alle jene Übel in der Welt, die nicht auf die Schuld des Menschen zurückgehen, als gottgewollt ansehen müßte. Dadurch würden diese Übel aber entweder verharmlost — als unvermeidlicher Preis der Endlichkeit oder der Evolution — oder das Gottesbild geriete ins Zwielicht von Willkür und Grausamkeit. Gegen das erstere wendet sich mit Recht das menschliche Empfinden, das letztere aber gefährdet die Gottesbeziehung des Menschen und bringt ihn in die Versuchung des Atheismus.

I. Hexen und Satanisten: die heutige Szene

1. Fortleben des alten Hexenglaubens

a) Der Hexenwahn am Beginn der Neuzeit.[1] Im ausgehenden Mittelalter begann sich unter den Menschen der Völker Europas eine Woge von Irrationalität auszubreiten, die ihren Höhepunkt im 16. und 17. Jahrhundert erreichte und zu schrecklichen Verfolgungen führte: der Hexenwahn. Zahlreiche Menschen wurden der Hexerei angeklagt, zunächst von der Inquisition, dem kirchlichen Gericht für Glaubensangelegenheiten, später auch von weltlichen Untersuchungsgerichten. Die, die man durch barbarische Folter dazu gebracht hatte, sich schuldig zu bekennen, wurden von der weltlichen Justiz hingerichtet, meistens auf dem Scheiterhaufen.

Man warf den Opfern, den Hexen und Zauberern, vor, sie hätten Gott abgeschworen und einen Pakt mit dem Teufel oder einem Dämon geschlossen und lebten mit diesem bösen Geist in einem Bündnis, das oft auch sexuelle Beziehungen zu ihm einschloß. Der böse Geist lasse sich von ihnen durch magische Rituale beschwören und leihe ihnen seine übersinnlichen Kräfte, durch die sie allerlei schädliche Zauberei betrieben: Krankheit von Tier und Mensch, Störungen menschlicher Beziehungen, Impotenz, Unfruchtbarkeit, Unglücksfälle, Unwetter, Todesfälle: All dies und noch vieles andere sei ihr Werk. Eine ganz besondere Fähigkeit bestehe darin, daß sie sich in Tiere verwandeln könnten.

[1] Vgl. H. J. Zwetsloot, Hexenwahn, in: Sacramentum mundi. Theologisches Lexikon für die Praxis, Bd. 2, Freiburg 1968, 684—689; G. Schormann, Hexen, in: Theologische Realenzyklopädie, Bd. 15, Berlin—New York 1986, 297—304; W. G. Soldan / H. Heppe, Geschichte der Hexenprozesse, neu bearbeitet u. hg. v. M. Bauer, 2 Bde., Hanau 1968; H. Schmölzer, Phänomen Hexe. Wahn und Wirklichkeit im Lauf der Jahrhunderte, Wien—München 1986; H.-J. Ruppert, Magie und Hexenglaube heute, in: Materialdienst der Evangelischen Zentralstelle für Weltanschauungsfragen 50 (1987) 57—75, hier 61—63; K. Elliger, Die Hexen, in: H. Haag, Teufelsglaube, Tübingen 1974, 440—476; Th. Hauschild, Die alten und die neuen Hexen. Die Geschichte der Frauen auf der Grenze, Heyne-Report 10/29, München 1987, 13—159.

Man stellte sich die Hexen und Zauberer als organisierte Sekte vor, die auch einen eigenen „Gottesdienst" zu Ehren des Teufels gefeiert haben soll. Zu dieser teuflischen Kultversammlung, dem Hexensabbat, seien die Teilnehmer im Flug durch die Luft gelangt, wobei sie auf Tieren oder Besen geritten seien. Es habe dort ein ausgelassenes, ja verbrecherisches Treiben gegeben: wilde, orgiastische Tänze, Opfer zu Ehren des Teufels — manchmal sollen es sogar Menschenopfer gewesen sein, der Teufel sei selbst in Gestalt eines Menschen oder Tieres, z. B. eines Bockes, erschienen, zwischen ihm und den anwesenden Frauen und zwischen den Teilnehmern untereinander sei es zum Geschlechtsverkehr gekommen.
In dieses Gesamtbild sind viele Elemente des damaligen Volksglaubens eingegangen, die übrigens bei den meisten Völkern der Menschheit mehr oder weniger deutlich gegeben sind: so etwa der Glaube an allerlei phantastisch-dämonische Geistwesen und an die Möglichkeit sexueller Beziehungen zu ihnen, die Überzeugung, daß es schädigenden Zauber und die Verwandlung eines Menschen in ein Tier geben könne, die Vorstellung von nächtlichen Luftfahrten. Während aber die kirchliche Lehre und Theologie einige Zeit dazu tendiert hatte, derartige Inhalte als Aberglaube und dämonische Trugbilder abzutun, wurden sie seit der Zeit des Hochmittelalters mehr und mehr für reale Gegebenheiten gehalten und als solche, also nicht mehr als Trugbilder, dämonischem Wirken zugeschrieben. Waren die Christen früher eher dazu ermutigt worden, keine Angst vor dem Teufel zu haben, weil sie durch Christus von seiner Macht befreit seien, so wuchs in dieser Zeit die existentielle Angst vor dem Teufel und durchdrang mehr und mehr das ganze Leben. Ein Hauptgrund dafür mag darin liegen, daß die kirchliche und gesellschaftliche Ordnung schon seit dem 12. Jahrhundert durch häretische Bewegungen wie die Katharer und Waldenser empfindlich gestört wurde und später durch die tiefen Umwälzungen an der Wende vom Mittelalter zur Neuzeit überhaupt ins Chaos zu versinken schien: tiefgreifende soziale und wirtschaftliche Veränderungen, jahrzehntelange Klimaverschlechterung, regelmäßige Ausbrüche der Pest seit 1348, das Papstschisma, der Kampf zwischen Reformation und Gegenreformation: Dies sind einige

der destabilisierenden Faktoren. Man sah in all den Problemen und Schwierigkeiten ein Werk des Teufels, den man in den Hexen greifen und wirksam bekämpfen und dem man durch diesen Kampf wenigstens ein Einfallstor in das menschliche Leben und die menschliche Gesellschaft wegnehmen konnte. Die seit dem 16. Jahrhundert voneinander getrennten Konfessionen stimmten übrigens in der Einschätzung der Gefährlichkeit der Hexerei völlig miteinander überein, so unversöhnlich sie sich sonst auch religiös und politisch gegenüberstanden.

Wenn den Hexenverfolgungen auch Männer und Frauen zum Opfer fielen, so fällt doch auf, daß die Frauen in der Mehrheit waren. Die frauenfeindlichen Züge der Hexenideologie sind besonders im 1487 erschienenen „Hexenhammer"[2], dem theologisch-juridisch-praktischen „Handbuch" der Inquisitoren, offenkundig. Darüber wird im 3. Abschnitt dieses Kapitels noch zu reden sein.

Was nun die sachliche Berechtigung der Anklagen gegen die Hexen und Zauberer betrifft, so muß man davon ausgehen, daß die meisten Hingerichteten — Schätzungen über ihre Zahl reichen von mehreren Zehntausend bis mehrere Millionen — überhaupt nichts mit dem zu tun hatten, was ihnen vorgeworfen wurde und was sie selbst unter dem Zwang der Folter gestanden. Es bestand aber sicher für gewöhnlich, auch unter den Beschuldigten selbst, kein Zweifel, daß es derartige Dinge gebe: Das war damals ein allgemein verbreiterter gesellschaftlicher Konsens, der sich auch auf anerkannte Autoritäten stützen konnte: auf päpstliche Dekrete[3] ebenso wie auf die Lehre der größten Theologen, z. B. des Thomas von Aquin[4].

[2] J. Sprenger/H. Institutoris, Der Hexenhammer, übers. v. J. W. R. Schmidt, München 1982.

[3] Vgl. z. B. die Bulle Papst Innozenz VIII. aus dem Jahre 1484, teilweise auf deutsch wiedergegeben in: G. Becker u. a., Aus der Zeit der Verzweiflung. Zur Genese und Aktualität des Hexenbildes, Edition Suhrkamp 840, Frankfurt 1977, 339—342.

[4] Thomas v. Aquin, Commentarius in II sent div 8, q 1, a 4, sol 2; Summa Theologiae II II, q 95, a 3 ad 4; q 96, a 2.

Es muß freilich festgehalten werden, daß sich hinter allen als abergläubisch und wahnhaft zu bezeichnenden Annahmen doch auch historische Tatsachen verbergen. Magische Praktiken waren im Volk weit verbreitet. Sie wurden vor allem zu Heilzwecken verwendet, aber es kam oft vor, daß ein Mensch im Glauben an magische, letztlich teuflische, Kräfte, einem anderen Böses anwünschte oder ihn verfluchte. War der Betroffene ebenfalls im magischen Denken verfangen, wie es damals in der Regel der Fall war, so interpretierte er etwaige unglückliche Zufälle nach einer derartigen Verwünschung als zauberische Vorgänge, oder er bekam durch seine magischen Ängste vielleicht sogar psychosomatische Beschwerden, die er ebenfalls als Beweis für das Vorliegen von Zauber ansah. Noch mehr Anlaß zu einer derartigen Deutung konnten paranormale Geschehnisse geben, die immerhin nicht ganz ausgeschlossen werden dürfen. Was die Erzählungen über nächtliche Hexenflüge betrifft, so waren diese vielleicht durch Drogen (Nachtschattengewächse) induzierte subjektive Erlebnisse; die Hexenversammlungen hat es zwar sicher nicht in der Form und in der Anzahl, wie die Inquisition bzw. die weltlichen Gerichte glaubten, gegeben, sicher aber lebten da und dort im Untergrund vorchristlich-heidnische Kultformen fort — vielleicht auch mit sexuell-orgiastischen Riten. Diese Kulte wurden von der Kirche als Teufelsverehrung interpretiert und vielleicht manchmal auch von den Beteiligten selbst so verstanden: Offiziell waren sie ja Christen, und vielleicht hatten sie bei ihren Kulten ein schlechtes Gewissen und interpretierten die heidnischen Gottheiten unwillkürlich als Dämonen. Der Vorwurf des Teufelskultes in Verbindung mit sexuellen Praktiken war in dieser Zeit im übrigen nichts Neues, weil er bereits früher wiederholt aufgetaucht war. Seit dem 11. Jahrhundert wurden verschiedene Sekten solcher Vergehen beschuldigt. Mögen diese Beschuldigungen im allgemeinen auch der Phantasie derer entsprungen sein, die diese Sekten bekämpften, so mag es doch hie und da einen historischen Kern gegeben haben.

Der mutige Kampf beherzter Männer wie des Katholiken Friedrich von Spee SJ (1591—1635) oder des reformierten Pfarrers und Theologen Balthasar Bekker (1634—1689) sowie die sich immer mehr ausbreitende Geisteshaltung der Aufklärung brachten ein allmähliches Abebben des Hexenglaubens als ein die Gesellschaft beherrschendes Phänomen. Wie aber gleich zu zeigen sein wird, lebt er im Untergrund weiter bis in unsere Zeit hinein. Er verbindet sich heute teilweise mit dem Satanskult okkultistischer Zirkel, die nach der Zeit des Hexenwahns in höheren Gesellschaftskreisen im Verborgenen ihr Unwesen trieben und heute dazu neigen, in die Öffentlichkeit zu treten. Die Schilderung dieses modernen Satanismus ist Thema des 2. Abschnittes dieses Kapitels.

b) Volkstümliche Hexenvorstellungen heute.[5] Grundsätzlich ist der Hexenglaube in unserer heutigen Gesellschaft abgetan und gilt als unvereinbar mit der seit Jahrhunderten herrschenden rational-wissenschaftlichen Einstellung; einzelne seiner Elemente aber haben sich vor allem in ländlichen Bevölkerungskreisen gehalten und können dort bis heute festgestellt werden. Man bekennt sich zwar kaum einmal offen dazu, aber die tiefsitzende Überzeugung zeigt sich in Andeutungen und Umschreibungen: „Hexen gibt's keine, aber böse Leut'", so etwa antwortet man mit hintergründigem Lächeln auf die Frage, ob es Hexen gebe.[6] Man schreibt solchen „bösen Leuten" nach wie vor unerklärliche übernatürliche Kräfte zu, die sie durch allerlei oft recht komplizierte Riten und Zauberpraktiken in Funktion setzen würden; durch diese Kräfte könnten sie sich in Tiere verwandeln und anderen Menschen Schaden zufügen; sie verdankten sie dem Teufel, mit dem sie in irgendeiner Weise im Bund seien. Die Ideen der sexuellen Teufelsbuhlschaft sowie des Hexensabbat sind heute kaum mehr lebendig.
Ich erinnere mich an ein Gespräch mit einer Frau aus einem Ort in der Nähe von Salzburg, die davon überzeugt war, daß alles Unglück ihres Lebens auf einen Fluch zurückginge, der über sie als Kind von ihrer Großmutter ausgesprochen worden sei, sozusagen

[5] Vgl. J. Kruse, Hexen unter uns. Magie und Zauberglaube in unserer Zeit, Leer 1978 (neu paginierter Nachdruck der Ausgabe 1951); I. Schöck, Hexenglaube in der Gegenwart. Empirische Untersuchungen in Südwestdeutschland, Tübingen 1978; H.-J. Ruppert, Magie, 65f.; Th. Hauschild, Die alten und die neuen Hexen, 160—204.
[6] I. Schöck, Hexenglaube, 38.

ein durch das ganze Leben hindurch wirksamer Schadenszauber. Sie erzählte mir auch von einem abgelegenen Schweizer Gebirgstal, in dem sie einige Zeit ihres Lebens verbracht hatte: Dort seien schwarzmagische Praktiken selbstverständlich gewesen, und sie hätten auch gewirkt.

In welche Not Menschen kommen können, die derartiger Praktiken verdächtigt werden, zeigt folgender Brief einer Betroffenen aus Bayern: „Ich gehöre zu den Menschen, die angeblich hexen können. Voriges Jahr war bei den Nachbarn ein krankes Kind. Es hatte oft fünf, sechs Furunkel auf einmal an seinem kleinen Körperchen. Immer hörte ich die Leute sagen, daß das Kind von einer bösen Frau geplagt würde. Ich lachte sie aus und sagte, so etwas gebe es nicht. Eines Tages zog die Frau mit ihrem Kind zu ihren Eltern, damit die Hexe keine Gewalt mehr über das Kind hätte. Aber sie kamen bald zurück. Die Frau erzählte den Leuten, es hätten so viele Katzen um das Haus der Eltern gesessen, und eine weiße Katze, die sollte ich sein, die ging die ganze Nacht nicht weg. Als das Kind immer nachts viel weinte, mußte der Vater mächtig fluchen, um die Hexe zu vertreiben. In der Frühe, ehe er zur Arbeit ging, schimpfte er bei uns auf dem Hausflur auch auf die Hexe, wurde mir erzählt. Es wurde mir auch erzählt, daß die Hebamme gesagt habe, das Kind sei verhext. Andere Hebammen hätten auch gesagt, daß es so etwas gibt. In dem Nachbardorf sei auch so ein Fall. In unserem Dorf erzählen sie auch, ich hätte alte Hexenbücher. Als die Eltern des kranken Kindes eines Nachts mit Stöcken Jagd auf die Katzen machten, ist das Kind unbemerkt gestorben. Ich bekam die Schuld, weil es am Tag vorher noch so schön gelacht habe. Wie soll ich mich nur wehren? Die Leute sagen, ich sei eine Hexe. Es gibt ja so viele Nadelstiche, die ich hinnehmen muß. Da ist in der Gasse ein Stall abgebrannt. Selbst da mußte ich hören, daß das nicht mit rechten Dingen möglich gewesen sei. Mein Mann will, daß ich mich nicht um das Gerede kümmere, daß ich es gar nicht höre. Das wäre alles sehr schön, wenn ich nicht täglich unter die Leute käme. Ich wünsche, ich könnte fortziehen. Dann würde ich ruhiger und könnte alles leichter hinnehmen."[7]

[7] J. Kruse, Hexen, 94.

Manche Menschen versuchen, sich gegen solche Verdächtigungen zu wehren, indem sie vor Gericht klagen. Die einschlägigen Gerichtsakten[8] vermitteln ein erschreckendes Bild von tief in den Menschen sitzenden abergläubischen Überzeugungen, die es ermöglichen, bei Mißgeschicken und Unglücksfällen Sündenböcke zu finden, die daran schuld sein sollen. Oft ist sich ein großer Teil eines Dorfes in derartigen Annahmen einig, und die Verdächtigten geraten in völlige soziale Isolierung, ja Verfemung. Sogar zu Verbrechen ist es gekommen.

1976 wurde 200 km südlich von Paris ein als Hexer verschrieener alter Mann von einem jungen Bauern auf Beschluß von dessen Familie erschossen. Bei der Festnahme des Mörders bestritt niemand die Tat. Die Mutter eiferte, ihr Sohn habe viele Menschen vor dem „bösen Blick" des Hexers bewahrt, der auch am Tod von Präsident Pompidou schuld sei. Das ganze Dorf hielt zum Mörder. Eine Frau meinte, sie ginge nur deshalb zum Begräbnis, um sich zu vergewissern, daß der Hexer, dieses Monstrum, wirklich unter die Erde komme.[9]

Gerichtliche Verurteilungen können solche Verbrechen zwar bestrafen und die direkte Aussprache von Beschuldigungen verhindern, nicht aber die dahinterliegenden Überzeugungen unterbinden.

Das folgende Beispiel zeigt deutlich die genannten Vorwürfe, die man sogenannten Hexen macht: verschiedene Formen des Schadenszaubers, Tierverwandlung, Teufelsbündnis.

Einer Frau, die in der Nähe von Kiel wohnte, warf man vor, sie sei am Tod der Kinder des Nachbarn, die an Diphterie gestorben waren, ebenso schuld wie daran, daß sich ein Pferd ein Bein gebrochen habe und der Frau des Kaufmanns die Zähne ausgefallen seien. Als sie zu einer Frau gegangen sei, um Milch zu holen, habe diese gesagt: „Ich kann dir keine Milch geben. Die Kühe geben so wenig, und du weißt selbst, warum." Sie könne sich in eine Katze verwandeln und so ihr Essen stehlen, ansonsten wäre es gar nicht erklär-

[8] Zahlreiches Material ebd.
[9] G. Holtz, Die Faszination der Zwänge. Aberglaube und Okkultismus, Göttingen 1984, 132.

lich, daß sie nicht längst verhungert sei — die Frau lebte nämlich in äußerster Armut. Seit ihr Mann gestorben sei, habe sie sich mit dem Teufel eingelassen, das sei der Grund ihrer Hexenkräfte. Daß ihr Barthaare wüchsen, komme daher, daß der Teufel sie geküßt habe.[10]

Im Bereich des in diesem Unterabschnitt beschriebenen volkstümlichen Hexenglaubens kommt es kaum vor, daß sich jemand selbst als Hexe bekennt. Die Beschuldigten beteuern durchgehend, sie verstünden sich in keiner Weise auf Hexerei, und sie sind wohl davon auch überzeugt. Freilich halten die meisten von ihnen Hexerei an sich sehr wohl für möglich. Menschen, die von sich selbst sagen, sie seien Hexen, müßten sich von sich aus mit der damit verbundenen Rolle eines bewußt destruktiven sozialen und religiösen Außenseiters identifizieren, eine Einstellung, die von einem psychisch gesunden Menschen kaum eingenommen wird. Hier unterscheidet sich der volkstümliche Hexenglaube vom im nächsten Abschnitt zu besprechenden modernen Satanismus, der unter anderen gesellschaftlichen und religiösen Vorzeichen steht.

In hexengläubigen Gegenden gibt es hingegen immer Menschen, die behaupten, sie könnten das teuflische Hexenwerk aufheben oder verhindern: Es sind dies die Hexenbanner oder Weisen Frauen. Auch sie arbeiten mit Zauberriten, die jedoch auch Bibelsprüche und Gebete einschließen. Dadurch, so glauben sie, würden sie von himmlischen Mächten oder von Gott selbst mit übersinnlichen Kräften ausgestattet, die der dämonischen Macht der Hexen überlegen seien.

2. *Der moderne Satanismus*

a) Geschichtliche Entwicklung.[11] Über die historischen Fakten, die hinter dem Hexenwahn gestanden haben mögen, konnten wir nur Vermutungen anstellen. Die Akten der Inquisition und der weltli-

[10] J. Kruse, Hexen, 95.

[11] Vgl. K. Elliger, Satanismus, in: H. Haag, Teufelsglaube, 490—501; K. R. H. Frick, Satan und die Satanisten, 3 Bde., Graz 1982—86; G. Zacharias, Der dunkle

chen Gerichte dieser Zeit stellen die Situation völlig verzerrt da. Anders ist es mit jenen geheimen Satanskulten, die es in Paris unter Ludwig XIV. gab: darüber existieren exakte Gerichtsprotokolle. Der Hexenwahn zeigt sich hier in verwandelter Form als in höheren und höchsten Gesellschaftskreisen herrschender Teufelskult, der vor allem durch Schwarze Messen, blasphemisch-obszöne Riten, die die Messe nachahmten, begangen wurde. Man wollte sich dadurch magischer, vom Satan stammender Kräfte versichern, um durch sie Menschen zu töten oder erotische Beziehungen zu stören oder anzuknüpfen. Madame Francoise Athénais de Montespan, eine Mätresse Ludwig XIV., versuchte z. B., sich die Gunst des Königs, die sie als bedroht empfand, zu erhalten, indem sie durch Vermittlung einer stadtbekannten Schwarzmagierin einen Priester Schwarze Messen lesen ließ. Wie eng derartige Praktiken mit Verbrechen verbunden waren, beweist die Tatsache, daß bei den Riten das Blut von ermordeten neugeborenen Kindern verwendet wurde und daß man der Magie auch durch Gift nachhalf, wenn es galt, Nebenbuhler zu beseitigen.

Im Untergrund lebte der Satanismus auch im 18. Jahrhundert weiter. Im 19. Jahrhundert zeigt er sich in einer neuen Form: Damals wurde er zum Gegenstand dichterisch-literarischer Schöpfungen, etwa in den Satanslitaneien von Charles Baudelaire[12] und besonders in Joris K. Huysmans' Roman „Là-bas“, in dem eine Schwarze Messe beschrieben wird.[13] Die Mentalität, die in derartigen Schöpfungen ausgedrückt oder dargestellt wird, versteht Satan als Befreier der Menschen, die von Kirche und Gesellschaft im Namen Gottes ausgegrenzt und verachtet werden und sich durch die überkommene Moral von Gott überfordert und in ihren Hoffnungen auf Glück von ihm enttäuscht fühlen. Besonders bei Huysmans ist

Gott. Die Überwindung der Spaltung von Gut und Böse. Satanskult und Schwarze Messe, Wiesbaden—München ^{3}1982; H.-J. Ruppert, Magie, 64 f.; J. Dworak, Satanismus und Sexualmagie, in: A. Holl (Hg.), Die zweite Wirklichkeit. Esoterik, Parapsychologie, Okkultismus, Grenzerfahrungen, Magie, Wunder, Wien 1987, 53—75.

12 Abgedruckt bei G. Zacharias, Der dunkle Gott, 171—175.

13 Auszüge ebd., 191—200; deutsche Übersetzung des 1889 in Paris erschienenen Romans von K.-J. Huysmans, Tief unten, Köln—Berlin 1963.

die Verherrlichung des Satans verbunden mit einer wahren Tirade von Lästerungen Christi. Der Autor hat Schwarze Messen miterlebt; auch Baudelaire hatte Kontakte zu satanistischen Gruppen.

Die bisher betrachteten Formen des Satanismus verstehen sich selbst von einer christlichen Grundlage her; sie verstoßen zwar fundamental gegen die Gebote des christlichen Glaubens, ja sie lehnen sich in blasphemischer Weise gegen Gott auf, sie bleiben aber doch in ihrer Weltanschauung im Bann des Christentums. Man spricht mit Recht von *Protestsatanismus.* Seine Anhänger wollen sich mit Satan in seiner Auflehnung gegen Gott und Jesus Christus zusammentun, ihre Rebellion mit der seinigen vereinen.

Hingegen gibt es Bewegungen, vor allem im 20. Jahrhundert, die ebenfalls zum Satanismus gerechnet werden, aber als eine eigene Religion verstanden werden müssen.[14] Sie beziehen sich zumeist selbst auf den Engländer Aleister Crowley (1875—1947)[15] als ihren Inspirator, der seinerseits an *neugnostischen Lehren* anknüpfte. Gegen Ende des 19. Jahrhunderts ist nämlich eine geistige Bewegung zu beobachten, die Ideen vertrat, die es bereits in der Gnosis gegeben hatte. Die Gnosis war in den ersten christlichen Jahrhunderten die größte Gefahr für die christliche Kirche geworden und im Mittelalter in der Kabbala und in verschiedenen häretischen Bewegungen wieder aufgetaucht. Sie denkt pantheistisch und lehrt die Einheit des geistigen Kerns des Menschen mit einer Welt geistig-göttlicher Wesenheiten, die selbst nur Ausfaltungen („Emanationen“) des einen göttlichen Urprinzips sind. Während die meisten gnostischen Richtungen die Menschen dazu anleiten, sich durch Askese und Verzicht von der dieser geistig-göttlichen Welt feindlichen Materie zu befreien und so zur Erfahrung der Einheit mit dem Urprinzip zu gelangen, gab es sowohl in der Antike als auch im Mittelalter libertinistische Gruppen, die einen anderen Weg

[14] Vgl. H.-J. Ruppert, Neugnosis. Gemeinschaften und Weltanschauungen, in: Werkmappe Sekten und religiöse Sondergemeinschaften in Österreich, hg. v. Referat f. Weltanschauungsfragen Wien, Dokumentation 1/84.

[15] Vgl. J. Symonds, Aleister Crowley. Das Tier 666. Leben und Magick, hg. v. W. Bauer, Basel 1983; K. R. H. Frick, Die Erleuchteten, Bd. 2/2, Graz 1978, 486—532.

vorschlugen: Nach ihrer Meinung gelangt der Mensch durch zügelloses Sich-Ausleben zur Unabhängigkeit von der Materie. Während er seinen Trieben freien Lauf lasse, mache er in seinem innersten Kern mehr und mehr die Erfahrung, von derartigen Erlebnissen gänzlich unberührt zu bleiben und in Wahrheit ein Teil der geistig-göttlichen Welt zu sein.

Die gnostischen Ideen mögen zum Teil durch Gruppierungen, die im Untergrund wirkten, bis ins 19. Jahrhundert transportiert, zu einem anderen Teil damals wiederentdeckt worden sein; sie entsprechen freilich einer Grundtendenz religiösen Denkens, die tief in der menschlichen Psyche verankert ist, und wirken deswegen auf viele plausibel.

Die zweite Hälfte des 19. Jahrhunderts ist auch die Zeit des erwachenden Interesses für anscheinend unerklärliche, *okkulte Phänomene* wie Hellsehen, Psychokinese, Spuk und ähnliches. Damals interpretierten die meisten diese Phänomene *spiritistisch*, d. h. durch die Annahme, sie würden von Geistern aus dem Jenseits bewirkt. Jenen Menschen, die die Fähigkeit besaßen, okkulte Ereignisse hervorzurufen, den sogenannten Medien, schrieb man unmittelbare Kontakte mit der Geisterwelt zu. Die neugnostischen Lehren wurden nun vielfach mit diesem Spiritismus verbunden. Man trat durch Vermittlung von Medien in Kontakt mit Geistern und Dämonen, um durch sie in das gnostische Wissen eingeweiht zu werden, aber auch um sich gegen sie wehren zu können, wenn sie die Seele am Aufstieg zum göttlichen Kern des Kosmos hindern wollen. Durch den Kontakt mit den Geistern und Dämonen konnte man zudem auch magische Macht über den Weltlauf bekommen. Sogar die feindlichen bösen Geister konnte man sich nach Meinung mancher neugnostischer Magier dienstbar machen. Die Geister sind freilich nie das Göttliche selbst, sondern höchstens eine Inkarnation desselben. Im allgemeinen begegnen sie aber den Menschen nur als Helfer oder auch als Feinde auf dem Weg der Erfahrung seiner Identität mit dem Göttlichen.

Mit anderen Gruppierungen wie z. B. der theosophischen Bewegung steht also auch Aleister Crowley im Strom der Neugnosis. Er lernte sie um die Jahrhundertwende im in Deutschland gegründe-

ten Ordo Templi Orientis (O. T. O.) kennen, einer Geheimgesellschaft, die sich — zu Unrecht — auf den Templerorden als ihr geistiges Vorbild berief. Crowley gab ihr ihre eigentliche Prägung. Aus ihr sind viele Ableger entstanden. Die Mutterbewegung existiert heute noch und hat ihre Zentrale in der Schweiz.
Im Unterschied zu vielen anderen, auch den erwähnten libertinistischen Richtungen der Gnosis versteht Crowley allerdings das göttliche Urprinzip, mit dem der Mensch in seinem Kern identisch ist, nicht als etwas Geistiges. Für ihn ist das Absolute vielmehr der schrankenlose biologische *Lebensdrang*, der in unendlicher Lust ausgelebt werden will. „Jeder Mann und jede Frau ist ein Stern“[16], d. h. sie sind absolut göttlich — aber im Crowleyschen *orgiastisch-dionysischen* Verständnis des Göttlichen. Für jeden gilt: „Tue, was du willst, das ist das ganze Gesetz.“[17] Wer zur Erfahrung des absoluten Lebenswillens in ihm selbst gekommen ist, den kann auch nichts und niemand daran hindern, absolut und souverän zu tun was er will, was konkret heißt, sich in schrankenloser Zügellosigkeit auszuleben.
Für die Bezeichnung dieser Form der Verabsolutierung des Lebens und der Lust als satanisch hat Crowley selbst votiert. Er beanspruchte ja für sich selbst, die Menschheit seine neue Religion lehren zu können, weil er zur Erfahrung seiner Einheit mit dem Absoluten gekommen sei. Nun bezeichnete er sich in Anlehnung an Offb 13 als „Das große Tier — 666“ — die Zahl 666 in Offb 13,18 ist vermutlich eine Chiffre für Nero: Die Apokalypse will mit dem „großen Tier“ auf den Christenhasser Kaiser Nero hinweisen und ihn als Werkzeug des Teufels brandmarken. Crowley verstand sich demnach als *Inkarnation des Satans.* So ist also das von ihm verkörperte Gottprinzip der Satan, man könnte seine Religion als *satanistischen Pantheismus* charakterisieren.
Dieser Sicht des göttlichen Urprinzips entspricht auch Crowleys System der Magie. Durch Rituale, die sämtliche nur denkbaren sexuellen Praktiken mit blutrünstigen Tieropfern verbinden, soll

[16] A. Crowley, Das Buch des Gesetzes. Liber AL vel legis, Basel ^{2}1985, 15.
[17] Ebd., 11.

sich der Magier die hintergründigen Energien des Kosmos unterwerfen und so seinen Willen immer schrankenloser verwirklichen können. Diese Riten sollen ihm aber auch darüber hinaus und letztlich zur Erfahrung seiner Göttlichkeit verhelfen. Für Crowley scheint dabei die Sexualität eine doppelte Bedeutung zu haben: Einerseits ist sie Mittel zum Zweck und erhöht die magischen Kräfte; anderseits ist sie auch Endziel, göttlich-absolut, höchste Form des göttlich-satanischen Lebens.

b) Streiflichter auf den Satanismus der Gegenwart. In der folgenden Skizze können die Einflüsse, die in den heutigen satanistischen Gruppen wirksam sind, nicht immer deutlich voneinander unterschieden werden: Relikte des volkstümlichen Hexenglaubens, wie sie im ersten Abschnitt dargestellt wurden, fließen mit den Elementen des Protestsatanismus und des gnostischen Satanismus zusammen. Aufgrund des in allen Gruppen praktizierten Auslebens des Orgiastisch-Triebhaften, der mehr oder weniger destruktiven Rebellion gegen Gesellschaft und Kirche, des Versuches der Indienstnahme okkulter Kräfte und des Kultes eines mehr pantheistisch oder auch mehr persönlich gedachten Satans besteht zwischen ihnen letztlich eine große Ähnlichkeit, vor allem was ihre Wirkung auf die menschliche Psyche betrifft.
Zu Beginn der Darstellung zwei Ausschnitte aus einem Zeitungsbericht:
„Sie hatten zehn kleine Wachsklumpen zu Püppchen geformt. Dann durchstachen sie jedes Püppchen mit einer Nadel, reihten das Ganze auf einer Schnur auf. So wollten sich sechs Stuttgarter Schüler an zehn Lehrern für schlechte Noten und zu viele Hausaufgaben rächen. Einer von ihnen (17): ‚Die Püppchen sind die Lehrer. Wir haben ihnen Krankheiten angehext — mit Hilfe des Satans‘ ... Sechs Schülerinnen (14 bis 17) streichelten sich bei Musik von sogenannten Satans-Rockern wie Death Kiss (Todeskuß) gegenseitig am ganzen Körper, baten Satan, einen Jungen von seiner Freundin zu befreien. Sie waren selbst in ihn verliebt.“[18]

[18] Bild v. 26.5.1986.

Schon mehr als zehntausend Jugendliche sollen sich in der BRD treffen, um den Teufel anzubeten und Schadenszauber zu betreiben. Das zweite Beispiel zeigt deutlich eine Form der Sexualmagie: Offensichtlich soll die durch das Streicheln herbeigeführte sexuelle Erregung die magische Wirkung der Beschwörung Satans verstärken.

In diesem zweiten Beispiel ist im übrigen auch bereits eine Quelle angegeben, die die Verbreitung satanistischer Ideen unter der Jugend zum Teil erklärt: ein nicht unbedeutender Teil des Hard-Rock.[19] Die Welle beginnt bereits Ende der sechziger Jahre, als z. B. der Titel der Rolling Stones „Sympathy for the Devil" auf den Markt kam. Seit 1970 tritt die Band Black Sabbath kontinuierlich mit satanistischen Themen an die Öffentlichkeit. 1980 wurde der Titel „Hells Bells" von AC/DC ein Welterfolg, ein weiterer Markstein war 1982 „The Number of the Beast" von Iron Maiden. Gegenwärtig beschäftigen sich viele Hard-Rock/Heavy-Metal-Bands auch mit dem Satansthema. Daß Crowleys Denken bei diesen Liedern Pate stand, ist nicht nur historisch nachweisbar, sondern auch im Inhalt der Liedtexte ganz deutlich zu erkennen. Die Musiker selbst erklären zwar, das sei alles nicht so ernst zu nehmen, es sei einfach Fantasy, diene der Spannung und Unterhaltung. Diese Antwort wirkt freilich nicht immer ganz überzeugend, und außerdem ist es fraglich, ob die Fans die satanistische Botschaft wirklich in dieser Harmlosigkeit aufnehmen.

Zur Propagierung des Satanismus, der keineswegs nur oder auch nur vorwiegend Jugendliche erfaßt, tragen in letzter Zeit auch die elektronischen Medien stark bei.

So trat im Jahr 1984 im deutschen und 1985 im österreichischen Fernsehen die Satanistin Ulla von Bernus auf, die behauptete, daß sie durch magische Rituale Menschen töten könne. Das gezeigte Ritual bestand in der Verbrennung einer Puppe mit dem Bild des Op-

[19] Vgl. U. Battista, Satanismus im Hard Rock/Heavy Metal, in: Materialdienst der EZW 48 (1985) 202—205; Teufelsbeschwörungen und Satanskult im Heavy-Metal, in: Metal Hammer, Februar 1986, dokumentiert ebd. 49 (1986) 350—354; A. Groh, Rockmusik im Zwielicht, ebd., 355—357; NOI international, 22 (1987) Nr. 78/79 (erscheint in Klagenfurt).

fers unter Anrufung des Satans (in fehlerhaftem Latein: „in nomini Satanas“) und der mehrfach ausgesprochenen Beschwörung: „Brennen sollst du! Langsam sollst du sterben!“ In der Diskussion im österreichischen Fernsehen erwies sich die Frau auch als vertraut mit der Praxis der Schwarzen Messe. Einige Zeit später wurde im österreichischen Fernsehen Ela Hard vorgestellt, die sich als Hexe bezeichnete und ebenfalls behauptete, über die Fähigkeit des magischen Tötens zu verfügen. In ihren Büchern beschreibt sie minutiös ihre Einweihung in die schwarze Magie durch einen australischen Aborigin und ihre erfolgreichen Rituale. — Ela Hard ist Anfang 1988 verstorben.

Die satanistische Welle ist überall in der westlichen Welt zu beobachten. In vielen Städten des deutschen Sprachraums werden Schwarze Messen abgehalten. Die 1984 im deutschen Fernsehen gezeigte Form, bei der eine junge Frau dem Satan als Hexe geweiht wurde — man sah unter anderem, wie sie nackt einer rituellen Geißelung unterzogen wurde —, mag noch eine von den weit verbreiteten harmloseren gewesen zu sein. Es ist freilich auch schon vorgekommen, daß bei solchen Zeremonien dem Teufel Menschen geopfert wurden — im Jahr 1986 konnte ein solcher an zwei Mädchen in Dortmund geplanter Ritualmord von der Polizei gerade noch verhindert werden[20] — bzw. daß sich Satanisten vom Teufel dazu inspiriert fühlten, Menschen, die sie für gefährlich hielten, einfach zu beseitigen.[21]

Auch in anderen Ländern Europas gewinnt der Satanismus an Boden. Im französischen Fernsehen wurde 1985 nicht nur über im Volk verbreitete Relikte des Hexenwahns informiert, sondern auch ein „Hexer“ präsentiert, der mit Hilfe teuflischer Kräfte Zauberei betreibt.[22] Eine norwegische Religionswissenschaftlerin, die als Beobachterin an mehreren Schwarzen Messen in der Stadt Bergen teilnahm, berichtet, daß es bei solchen Messen hauptsächlich um Sex und Mord gehe. Die Satanisten selbst seien überzeugt, daß bei

[20] Münsterische Zeitung v. 5.7.1986.

[21] H. Knaut, Das Testament des Bösen. Kulte, Morde, Schwarze Messen — Heimliches und Unheimliches aus dem Untergrund, Stuttgart 1979, 106—115.

[22] DPA v. 5.8.1985.

ihren Versammlungen übernatürliche Kräfte im Spiel seien; sie hätten selbst davor eine tiefe Angst. Für ihre Taten würden sie keine Verantwortung übernehmen, weil sie über sich keine Kontrolle mehr besäßen. Die Schwarzen Messen würden mit rituellem Gruppensex enden. Aus Schweden wird von Leichenraub und Gräberschändung in Zusammenhang mit Satanismus berichtet.[23] Der Satanskult blüht auch in England.[24]

Eine besonders große Rolle spielt die satanistische Bewegung in den USA.

Am bekanntesten wurde hier Ende der sechziger Jahre Charles Manson[25], der unter dem Einfluß von Aleister Crowleys O. T. O. und anderer satanistischer Gruppen die „Final Church" gründete. Manson hielt sich für Satan und Christus zugleich und glaubte an das Endgericht, das durch ihn und seine Anhänger herbeigeführt werden solle und das sich gegen das ganze System der menschlichen Gesellschaft richten würde. Bei den sexuellen Kultorgien der Final Church wurden nicht nur Tiere, sondern auch Menschen geopfert, letztere auf bestialische Weise durch sechs in einer kugelförmigen Halterung verschweißte Messer, die in das Opfer eindrangen. Die Manson-Jünger schwärmten aber auch aus, um außerhalb ihrer Gruppe Opfer zu suchen und zu töten. Auf diese Weise geschah der Ritualmord an der Schauspielerin Sharon Tate und ihren Gästen.

Ende 1985 schrieb ein Beobachter der amerikanischen Szene: Tausende Kinder jährlich werden Opfer des Satanskultes; 10 Millionen Amerikaner betreiben Schwarze Magie; rund 100 Millionen sind okkulten Praktiken verfallen — diese schockierenden Zahlen wurden soeben in den USA veröffentlicht. Der Club 700, eine Arbeitsgemeinschaft aller christlichen Kirchen, hat nun dem Zauberwesen, dem Okkultismus, dem Spiritismus, den Satans- und Hexenkulten und vor allem den rituellen Morden den Kampf angesagt. Die in Glaubensdingen erstaunlich unerfahrenen Amerika-

[23] Neue österreichische Bildpost v. 13. 1. 1985.

[24] Wochenpresse v. 8. 5. 1986.

[25] Vgl. E. Sanders, The Family. Die Geschichte von Charles Manson und seiner Strand-Buggy-Streitmacht, Reinbek 1972; K. Elliger, Satanismus, 499; H. Knaut, Testament, 99.

ner werden von Teufelssekten mit Versprechungen geködert: Willst nicht auch du Jugend, Kraft, Macht, Geld und Einfluß auf andere haben? Und ein bißchen sexuellen Spaß dazu? Wer will das nicht — und wer nur einen Finger hinhält, wird bald zur Gänze gefressen. Kinder werden zu Sexspielen mit den eigenen Eltern verführt und oft genug zu bestialischen Tieropfern, etwa zum qualvollen Ersticken von Hunden und Katzen gezwungen. Höhepunkt vieler sogenannter Satansmessen (eine dämonische Perversion des christlichen Gottesdienstes) sind Menschenopfer: Kinder, und nicht nur Neugeborene, werden im wahrsten Sinne des Wortes abgeschlachtet. Die genaue Zahl der Opfer dieser Kulte, deren Priester meist im sonnigen Kalifornien residieren, ist unbekannt. Nur einige Dutzend Kindermorde jährlich werden angezeigt und verfolgt. Zumeist scheuen die Eltern den Weg zur Polizei, die Zeugen haben Angst vor den Sekten, und die Behörden nehmen aus Unkenntnis diese Kulte nicht ernst. Schätzungen des Clubs 700 zufolge beträgt die Zahl der Kindermorde jährlich einige Tausend."[26]

Es gibt freilich auch zahlreiche Gruppen, die sich nicht auf den Weg direkter Kriminalität begeben. Aber auch sie stützen sich auf das Crowleysche Menschenbild und verehren Satan als Kultfigur, an die sie sich in ihrem Wunsch nach schrankenlosem Sich-Ausleben halten. Einblick in die Mentalität dieser Gruppen mag das Glaubensbekenntnis der 1966 gegründeten „Church of Satan" geben:

„1. Satan verkörpert Befriedigung von Begierden anstelle von Abstinenz. 2. Satan verkörpert vitale Existenz anstelle spiritueller Hirngespinste. 3. Satan verkörpert reine Weisheit anstelle scheinheiliger Selbsttäuschung. 4. Satan verkörpert Gefälligkeit gegenüber denen, die sie verdienen, anstelle von Liebe, die an Undankbare verschwendet wird. 5. Satan verkörpert Rache anstelle des ‚auch die andere Wange Hinhaltens'. 6. Satan verkörpert Verantwortung gegenüber den Zurechnungsfähigen statt Besorgnis um seelische Erpresser. 7. Satan verkörpert alle sogenannten Sünden, weil sie alle

[26] P. Uccosic im Kurier v. 5.11.1985.

zu körperlicher, geistiger oder gefühlsmäßiger Befriedigung führen..."[27]
Die „Church of Satan" ist eine in Kalifornien offiziell anerkannte Religion. Sie mag für die Gesellschaft im ganzen mehr Schaden anrichten als kriminelle Randgruppen im Untergrund.

3. Die neuen Hexen

a) Der Wicca-Kult.[28] Ausgehend von England hat sich in den letzten Jahrzehnten vor allem im angelsächsischen Raum eine Bewegung ausgebreitet, die derzeit auch in Mitteleuropa immer mehr Anhänger findet: der Wicca-Kult. Vom altenglischen Wort „wicca" leitet sich das neuenglische „witch" = „Hexe" ab. Der Wicca-Kult versteht sich als uralte Religion, die schon mehrere Zehntausend Jahre existiert, vom Christentum in den Untergrund gedrängt wurde, sich in der Zeit der Hexenverfolgungen als immer noch lebendig zeigte und heute von neuem ihre Kraft erweist.
Diese Sicht läßt sich zwar historisch nicht belegen und wird sogar von einem Teil der Wicca-Anhänger selbst bestritten: Die Spuren von Wicca lassen sich nur bis ins 19. Jahrhundert zurückverfolgen. Daß sich Lehre und Praxis des Kultes aber auf Relikte stützen kann, die auf vorgeschichtliche Zeit zurückgehen und auch im Hexenglauben der frühen Neuzeit auftauchen, hat manches Indiz für sich und ist nicht auszuschließen.
Die Wicca-Religion setzt sich bewußt vom Christentum ab und bezeichnet sich dezidiert als heidnisch. Sie verehrt die *Große Göttin*, aus der alles Leben kommt und in die es wieder mündet. Sie wird pantheistisch verstanden: „Am wichtigsten ist die Einsicht, daß die Göttin, das Göttliche, der Welt immanent ist und der Natur, dem Menschen und der menschlichen Gesellschaft innewohnt."[29] „Ich

[27] Zit. n. F.-W. Haack, Von Gott und der Welt verlassen. Der religiöse Untergrund in unserer Welt, Düsseldorf—Wien 1974, 132.
[28] Vgl. H. Schmölzer, Phänomen Hexe, 154—163; G. Graichen, Die neuen Hexen. Gespräche mit Hexen, Hamburg 1986; K. Elliger, Die Hexen, 471—476; H.-J. Ruppert, Magie, 71—74.
[29] Starhawk, Der Hexenkult als Ur-Religion der Großen Göttin. Magische Übungen, Rituale und Anrufungen, Freiburg ^{2}1985, 291.

bin die Göttin. Du bist Gott, bist Göttin. Alles ist göttlich — alles, was lebt, atmet, liebt, singt in der unendlichen Harmonie des Seins."[30] Der Göttin zur Seite steht der *Gehörnte Gott,* der bei den Hexenverfolgungen der frühen Neuzeit von den christlichen Gegnern der — wie gesagt angeblich damals schon im Untergrund existierenden — Wicca-Leute als biblischer Teufel total ins Negative gerückt worden sei. Der kraftvolle Gehörnte Gott, zugleich Lebens- und Todesprinzip, ist aus der Göttin hervorgegangen als ihr ursprünglich weibliches Gegenbild und hat sich zum Männlichen polarisiert.[31] Das Weibliche ist hier dem Männlichen eindeutig übergeordnet; letzteres ist zwar auch selbst göttlich, aber es entspringt dem weiblichen Urprinzip, das sich besonders in der Frau offenbart als deren verborgenes göttliches Wesen.

Es verwundert nicht, daß dieser *feministisch akzentuierte Pantheismus* Anschluß an die Frauenbewegung sucht und sich zu ihr gehörig fühlt. Der Wicca-Kult hat dementsprechend weit mehr weibliche als männliche Anhänger. Sie versammeln sich in Zirkeln zu höchstens 13 Personen. In den Versammlungen wird vor allem Magie betrieben. Man betont, daß man keine schwarzmagischen Riten, also keinen schädlichen Zauber, vollziehe, sondern magische Macht nur zu positiven Zwecken einsetze. Magie ist letztlich Teilnahme an der den Kosmos durchpulsenden göttlichen Energie und primär eine Domäne der Frau, eben weil das Göttliche ursprünglich weiblich ist. Freilich können auch Männer magische Fähigkeiten haben, da ja auch sie durch den Gehörnten Gott am Göttlichen teilnehmen.

Bei den magischen Riten und Feiern zur Ehre von Göttin und Gott, vor allem bei der Initiation neuer Mitglieder, kommen auch sexuelle Praktiken vor. Sie spielen zwar eine weniger bedeutsame Rolle als im Satanismus, aber keine so geringe, wie manche Publikationen der Wicca-Hexen suggerieren. Im übrigen grenzt sich Wicca vom Satanismus ab, sicher nicht zu Unrecht. Man kann diesen Kult nicht in eine Reihe stellen mit den bisher skizzierten de-

[30] Ebd., 12.
[31] Ebd., 43—50.

struktiven Erscheinungen satanistischer Kulte. Ganz eindeutig ist die Sache freilich nicht, da es Berührungspunkte zum Satanismus gibt.
So hat z. B. niemand anderer als Aleister Crowley für Wicca-Gruppen Rituale verfaßt. Alex Sanders, der Führer eines Zweiges des Kultes, bezeichnet sich im besten Crowleyschen Stil als „The Devil Incarnate" (inkarnierter Teufel) und beschreibt z. B. die Beschwörung eines Dämons durch einen inzestuösen sexualmagischen Akt mit seiner Schwester, wodurch sich Sanders mit Erfolg die durch diesen Ritus garantierten Reichtümer verschafft habe. Seine Frau sei allerdings ein halbes Jahr später an Krebs gestorben, und Sanders interpretierte das als ein von Dämon verlangtes Menschenopfer.[32]

b) Die Hexe im modernen Feminismus.[33] Die Weltsicht der Wicca-Hexen und verwandter Gruppen findet im gesellschaftskritisch und -politisch engagierten Feminismus nicht allzuviel Gegenliebe. Man wirft ihnen eine ungeschichtliche, unkritische und irrationale Übernahme eines mythischen Weltbildes vor, aus der sich weder ein Verständnis für die gesellschaftlichen Mechanismen der Unterdrückung der Frau, noch Visionen und politische Strategien für ihre Befreiung gewinnen ließen. Das Wort „Hexe" wird freilich in einem ganz anderen, entmythisierten Sinn auch in diesem Teil der Frauenbewegung als treffendes Symbol für feministische Anliegen verstanden und beansprucht. Man sieht nämlich in den in der frühen Neuzeit bekämpften Hexen — zumindest für die Zeit, in der die Verfolgungswelle noch nicht jeder Kontrolle entglitten war und praktisch jeden treffen konnte — Frauen, die in der Gesellschaft über Macht verfügt hätten und deswegen dem christlichen Patriarchat unheimlich gewesen seien: heilkundige „Weise Frauen", Hebammen, die über Mittel zur Abtreibung und Empfängnisverhü-

[32] A. Sanders, in: Unicorn. Vierteljahresschrift für Magie und Mythos, hg. v. J. Wichmann, H. 10, 1984, 179f.
[33] Vgl. G. Becker u. a., Aus der Zeit; C. Honegger (Hg.), Die Hexen der Neuzeit. Studien zur Sozialgeschichte eines kulturellen Deutungsmusters, Frankfurt 1978; M. Daly, Gyn/Ökologie. Eine Meta-Ethik des radikalen Feminismus, München 1981, bes. 199—241; H.-J. Ruppert, Magie, 66—70.

tung Bescheid gewußt hätten. In den Überlieferungen von den Hexensabbaten zeige sich, daß Frauen versucht hätten, sich der Herrschaft des Patriarchats zu entziehen, indem sie aus der religiösen und sozialen Ordnung unter Mißachtung sämtlicher Tabus ausgebrochen seien. Die Erinnerung an diese ihres Selbst bewußten, rebellierenden Frauen erleben viele heutige Frauen als eine produktive Inspiration in ihrem eigenen Kampf gegen die Unterdrückung durch patriarchale Gesellschaftsstrukturen und um eine neue Identität.

Zum erstenmal tauchte in der Frauenbewegung das Wort „Hexe" wohl im Jahr 1977 in Italien auf. Ein junges Mädchen war an den Folgen einer Vergewaltigung gestorben. Die schuldigen jungen Männer wurden zu relativ geringen Strafen verurteilt. Daraufhin kam es nachts zu einer mächtigen Frauendemonstration. 100.000 sollen es gewesen sein, die in den Straßen einer italienischen Großstadt johlten und schrieen und immer wieder im Chor riefen: „Zittert, zittert, die Hexen sind zurückgekehrt!"[34]

Eine feministische Autorin nennt diesen Ruf eine „Drohung und Verheißung". Durch ihn würden feministische Frauen den „Anspruch auf durch den Hexenwahn tabuisierte Handlungsfelder und Identitäten" anmelden: „das Recht auf Kontrolle des eigenen Körpers, auf weibliche Geselligkeit und Öffentlichkeit", sowie „den Anspruch auf die Macht, auf eigenständige sexuelle Lüste und luziferische Wißbegierden"[35].

An der Geschichtsauffassung der Feministinnen mag manches wahr sein: So mag es z. B. in der Tat heilkundige Weise Frauen gegeben haben. Es fehlt mir freilich der Raum, um mich auf eine ausführliche Würdigung und Auseinandersetzung einzulassen. Es soll allerdings zum Problem, aus welchem Grund die durch die ganze christlich-abendländische Geschichte zu beobachtende Minderbewertung und Niederhaltung der Frau am Beginn der Neuzeit zu so tiefem Haß und brutalem Vernichtungswillen Frauen gegenüber eskalierte, eine kurze Überlegung angestellt werden, die freilich

[34] Wiedergabe nach H. Staschen, in: G. Graichen, Die neuen Hexen, 64.
[35] C. Honegger, in: J. Beyer u. a. (Hg.), Frauenhandlexikon. Stichworte zur Selbstbestimmung, München 1983, 133.

nicht den Anspruch erheben kann, eine erschöpfende Antwort zu geben. Ich meine, daß sich damals die Geringschätzung der Frau und die Abwertung der Sexualität verhängnisvoll verbunden haben mit apokalyptischer Teufelsangst.

Es ist sicher falsch, das Christentum für eine grundsätzlich patriarchalische Religion zu halten. Bei diesem Urteil wird übersehen, daß gerade im Christentum die Ebenbürtigkeit von Frau und Mann wohl erstmals in der Geistesgeschichte grundsätzlich erkannt wurde (vgl. Gal 3,28; 1 Kor 7,4). Es ist aber dennoch eine Tatsache, daß in der Geschichte des Christentums das patriarchalische Denken von Anfang an stark überwog. Schon im Neuen Testament zeigen sich Tendenzen einer Minderbewertung der Frau (vgl. 1 Kor 11,7; 1 Tim 2,9—15), und die frauenfeindlichen Äußerungen von Kirchenvätern, mittelalterlichen und auch noch späteren Theologen sind zum Teil beschämend.

Diese Diskriminierung der Frau hat einen besonderen Akzent, weil sie verbunden ist mit einer — dem Evangelium fremden — Befangenheit der Sexualität gegenüber, was nochmals besonders zu Lasten der Frau geht. Die allein von Männern betriebene Theologie schob nämlich die als negativ eingeschätzte Dimension des Sexuellen in besonderer Weise der Frau zu und sah diesen als tierisch und unrein geltenden Bereich, dessen Notwendigkeit für die Fortpflanzung der Menschheit freilich nicht geleugnet werden konnte, als ureigene Domäne der Frau. Sie galt vorwiegend als Geschlechtswesen.

Vor allem der zölibatäre Mann erlebte sie als fortwährende Gefahr für seinen Stand. Das wäre an sich nicht notwendig mit dem Zölibat verbunden. Wird dieser als frei gewollter Verzicht auf das hohe Gut der Ehe realisiert, im vollen Bewußtsein der auch im Zölibatär lebendigen sexuellen Triebhaftigkeit, die freilich in dieser Lebensform beherrscht und sublimiert werden muß, dann kann der Zölibat mit großer Unbefangenheit Frauen gegenüber gelebt werden. Eine solche Motivation ist freilich nur schwer möglich, wenn die Sexualität abgewertet wird. Ein auf diesem Grund aufgebauter Zölibat bedeutet nicht Beherrschung und Sublimierung, sondern radikale Abwehr der Sexualität: Der Mensch wird von Kindheit an dazu angehalten, derartige „schmutzige“ Wünsche „abzutöten“, was freilich nicht möglich ist, sondern zur Verdrängung und zu Neurosen führt. Die Folge der Verdrängung sind mannigfache neurotische Projektionen: Die unbewußt doch begehrte Frau wird in übertriebener Weise als sinnlich und verführerisch erlebt und in der Folge oft verachtet oder gehaßt. Vor allem dann kann diese Reaktion eintreten, wenn die verdrängten Triebkräfte zum Teil ins Bewußtsein durchbrechen — oft in perverser Form — und sexuelle Versuchungen mit der für Neurosen charakteristischen unheimlichen Heftigkeit und Perversität erwachen.

Sexuelle Versuchungen galten in der Kirche schon immer als besonderes Einfallstor des Teufels, eben wegen ihrer oft unerklärlichen Gewalt und inneren Qualität. Wenn nun im ausgehenden Mittelalter, wie bereits beschrieben, die Teufelsangst aus verschiedenen Gründen zu apokalyptischen Ausmaßen anwuchs und man immer mehr der Meinung war, daß es möglich sei, mit dem Teufel ein Bündnis zu schließen und sich dadurch seiner Kräfte zu versichern, dann lag es nahe, daß Männer, die wie die Verfasser des Hexenhammers an Neurosen litten, solche Teufelsbündnisse dort vermuteten, wo sie aufgrund ihrer Neurose am meisten die Teufelsmacht zu erfahren meinten: bei den sinnlichen, verführerischen Frauen. Aufgrund ihrer geistigen Minderwertigkeit konnten diese ja den Ränken des Teufels nicht gewachsen sein, und aufgrund ihrer Sinnlichkeit mußten sie seinen Einflüssen weit offenstehen. Freilich galt ein solches Teufelsbündnis als schwere Sünde, ja als Verbrechen, das den Tod verdiente.

Der Funke des Hexenhammers zündete. Seine Ideologie traf offensichtlich auf in der damaligen Gesellschaft weitverbreitete sexualneurotische Tendenzen, die auch unter den nichtzölibatär lebenden Laien — Männern und Frauen — wirksam waren, weil auch sie von der kollektiven Abwertung der Sexualität und den daraus resultierenden Verdrängungen betroffen waren. Die sexual- und frauenfeindlichen Tendenzen waren ja seit Jahrhunderten tief in die Seelen eingegraben, auch die Frauen hatten sie im Unbewußten internalisiert und akzeptiert. Nun konnte sich der neurotische Frauenhaß vieler — vor allem zölibatärer — Männer nach Herzenslust austoben und zugleich fanden in den schamlosen und sadistischen Prozeduren der Hexenprozesse — etwa in der genauen Untersuchung nackter Frauen nach Zeichen des Teufelsbündnisses oder in ihrer grausamen Folterung — perverse männliche Sexualstrebungen ihre Befriedigung.

So leuchtet es wohl ein Stück weit ein, warum die gesteigerte Teufelsangst dieser Zeit vor allem Frauen zum Verhängnis wurde. Die Idee, der Teufel benütze vor allem Frauen als Werkzeug, gab neurotischen Haßgefühlen und perversen Triebstrebungen die Möglichkeit einer legalen Befriedigung. Das Ganze wird ermöglicht vom unbefragten patriarchalischen Überlegenheitsdünkel, den das Christentum zur Gänze bis heute noch nicht voll wirksam überwinden konnte, obgleich er seinem Wesen eigentlich widerspricht.

Im politisch orientierten Feminismus hält man „Natur- und Körperkult, Magie und Okkultismus“ für „nicht unproblematisch“[36] — deswegen ja auch die Distanz zu Wicca. Das kann freilich nicht verhindern, daß sich Magie und Okkultismus auch in der Frauenbewegung immer mehr ausbreiten. Die esoterische Welle macht sich dort ebenso bemerkbar wie bei den alternativ-ökologischen Gruppen. Eine Autorin, bei der dieser Fort-Schritt von mehr gesellschaftlich orientiertem zu esoterischem Feminismus in ihren Büchern deutlich sichtbar ist[37], lehnt zwar Okkultismus verbal ab[38], hat aber doch eine magisch-okkulte Weltanschauung; Sie betreibt magische Rituale[39], fühlt sich in Kontakt mit Geistwesen[40] und glaubt aufgrund von angeblichen Erfahrungen früherer Erdenleben an die Reinkarnation[41]. Sie hält sich für eine Wiederverkörperung einer in der frühen Neuzeit hingerichteten Hexe. Ihre Religion ist ein der Wicca-Religion verwandter feministischer Pant-

[36] H. Schenk, in: J. Beyer u. a. (Hg.), Frauenhandlexikon, 90.

[37] J. Jannberg, Ich bin ich, Frankfurt 1985; dies. (in diesem Buch Auflösung des Pseudonyms: G. A. Schilcher), Ich bin eine Hexe. Erfahrungen und Gedanken, Bonn [6]1986.

[38] J. Jannberg, Ich bin eine Hexe, 80.

[39] Ebd., 49.

[40] Ebd., 137—149.

[41] Ebd., 53—81.

heismus.[42] Magie verheißt Macht, und so ist es verständlich, daß viele Feministinnen magische Praktiken mit ihrem emanzipatorischen Impuls verbinden. Sie ziehen sich allerdings zumeist von der unmittelbar politischen Aktion zurück, sind aber der Meinung, daß ihre magischen Rituale für die Gesellschaftsveränderung wirksamer sind. Durch diese Rituale, so hoffen sie, wird ein weibliches Zeitalter heraufgeführt werden, das das Patriarchat ablöst. Als Hexen fühlen sie sich an der vordersten Front dieser Zeitenwende, die auch das Verschwinden des Christentums bringen wird.

[42] Orientiert an H. Göttner-Abendroth; vgl. z. B. deren Schrift: Die Göttin und ihr Heros. Die matriarchalen Religionen in Mythos, Märchen und Dichtung, München [6]1984.

II. Problematische Formen des christlichen Teufels- und Dämonenglaubens

1. *Fragwürdige Beurteilung der Szene*

a) Die traditionelle katholische Lehre über Satan und Dämonen.[1] In der katholischen Kirche gab es bis zum II. Vatikanum eine Teufels- und Dämonenlehre, von der — wenn überhaupt — nur einige Grundpositionen glaubensverbindlich sind, die aber doch weit über diese Grundpositionen hinaus mehr oder weniger allgemein geteilt wurde, und zwar sowohl innerhalb der Theologie als auch in der Predigt und Katechese. In kurzer Zusammenfassung hat diese überkommene Lehre folgenden Inhalt — wie sie dogmatisch zu beurteilen ist, wird im 5. Kapitel erörtert:

Der Teufel und die Dämonen gehörten ursprünglich zu den Engeln. Diese von Gott geschaffenen Wesen sind reine (= körperlose) Geister, als solche begabt mit Verstand und freiem Willen. Wie wir Menschen sind auch die Engel hineingestellt in die freie Entscheidung, ob sie sich annehmen wollen als das, was sie sind: von Gott geschaffen und ganz und gar hingeordnet auf die liebende Hingabe an ihn als den Sinn ihrer Existenz — oder ob sie diese Annahme ihrer selbst als auf Gott bezogene Geschöpfe verweigern und sich der Liebe zu Gott verschließen wollen. Ein Teil der Engel hat sich in dieser Entscheidung definitiv gegen Gott gestellt. Zur Strafe dafür sind diese Engel auf immer von Gott getrennt und in die Hölle verbannt, die weniger ein Ort als ein Zustand ist: Dasein in Haß, Hoffnungslosigkeit, Sinnlosigkeit, Qual. Diese in die Hölle verstoßenen Engel sind die Dämonen, der Teufel bzw. Satan ist ihr Anführer.

[1] Vgl. M. J. Scheeben, Handbuch der katholischen Dogmatik, Bd. 2, Freiburg 1927, 670—683; J. Brinktrine, Die Lehre von der Schöpfung, Paderborn 1956, 196—203; M. Premm, Katholische Glaubenskunde. Ein Lehrbuch der Dogmatik, Bd. 1, Wien 1961, 561—563; 568—575.

Die bösen Geister sind bestrebt, die Menschen in ihre negative Freiheitsentscheidung hineinzuziehen. Sie tun dies vor allem dadurch, daß sie zur Sünde, d. h. zum Abfall von Gottes Geboten und dadurch auch von ihm selbst, verleiten wollen. Wenn ein Mensch derartige Versuchungen erlebt, dann geht das zunächst auf seine eigene, für das Böse anfällige Natur zurück; der Teufel und die Dämonen haben aber in den meisten — oder gar in allen — Fällen ganz konkret ihre Hand im Spiel. Sie wirken auf die Phantasie des Menschen, der sie betörende Trugbilder vorspiegeln, und auf seine Begierden, die sie anstacheln. Auch sozialer Mechanismen bedienen sie sich in ihren Anfechtungen, etwa der Beeinflußbarkeit der Menschen untereinander oder der Gesetze der Massenpsychologie. So gehen also Versuchungen zumindest zum Teil unmittelbar auf dämonisches Wirken zurück, was freilich nicht direkt erfahrbar ist, für den Glaubenden aber aufgrund der Autorität der kirchlichen Lehre feststeht.
Die Dämonen und ihr Anführer können aber auch in außergewöhnlicher Weise wirken, was dem Menschen wie ein Wunder vorkommt: So verfügen sie z. B. über Wissen um verborgene Dinge und außergewöhnliche Kräfte. Mittels dieser Möglichkeiten betätigen sich die bösen Geister als die eigentlichen Agenten der schädlichen Wirkungen der Schwarzen Magie. Sie können aber, um die Menschen an sich zu fesseln, auch Heilungen bewirken. Derartige paranormale Phänomene sind die wichtigsten Anzeichen dafür, daß Dämonen am Werk sind. Während die eigentlichen Wunder bezeugen, daß Gottes Allmacht in den Weltlauf eingreift, um die Wahrheit der Offenbarung zu bekräftigen, sind die Machttaten der Dämonen Zeichen ihrer großen Naturbeherrschung, die sie dazu benützen, um die Menschen in die Irre zu führen.
Es ist interessant, wie im Rahmen dieser Dämonologie der Hexenwahn der frühen Neuzeit beurteilt wird. Man habe damals durch Übertreibung der teuflischen Macht und durch Leichtgläubigkeit und Sorglosigkeit katastrophale Fehler begangen. Daß es aber dämonisch bewirkte Zauberei und auch reale Bündnisse mit dem Teufel geben könne, stehe theologisch fest. Wie konkret das noch Mitte der fünfziger Jahre gesehen wurde, zeigen die Aussagen eines

1955 in 31. verbesserter Auflage erschienenen moraltheologischen Handbuches[2], das über die Weiße Magie sagt, sie sei zwar an sich erlaubt, weil in ihr natürliche Kräfte wirkten, sie könne aber gefährlich werden, da sich bei solchen Dingen leicht ein Dämon einmische. Über schwarzmagische Praktiken heißt es, sie seien möglich, und der Einfluß des Teufels könne nicht geleugnet werden. Und konkret: „Wer mit Liebeszauber infiziert ist, verliert für gewöhnlich nicht die Freiheit, sondern kann der Versuchung mit der Gnade Gottes widerstehen..." Zum Thema der Bekämpfung schwarzmagischer Einflüsse wird gesagt, sie dürfe nicht durch Gegenzauber geschehen, wohl aber könne man neben der Anwendung natürlicher oder übernatürlicher Mittel auch „das Zeichen, durch das der Dämon schadet", zerstören.

b) Katholisch-traditionalistische Stellungnahmen zur Szene. Seit dem II. Vatikanum gibt es die Einheitlichkeit in der Lehre über Satan und Dämonen nicht mehr. Viele Theologen bezweifeln die Existenz des Teufels oder sprechen sich definitiv dagegen aus; andere versuchen, die dämonologische Tradition der katholischen Kirche neu zu interpretieren, was auch im vorliegenden Buch im 5. Kapitel geschehen wird. Ein Teil der Theologen vertritt freilich noch die traditionelle Lehre, und viele Katholiken sind noch von ihr geprägt oder bekennen sich ganz bewußt zu ihr.

Für diese Gruppen, die im folgenden als *traditionalistisch* bezeichnet werden, besteht das Traditionsprinzip, das ja in der Tat für die katholische Kirche entscheidend ist, darin, daß alles, was die Kirche in einer bestimmten Epoche lehrt, bis ins Einzelne unverändert weiter zu überliefern ist. Sie lehnen die Unterscheidung zwischen dem von einer zur Tradition gehörigen Glaubensaussage angezielten Sinn und den zeitbedingten und veränderlichen Begriffen und Vorstellungen, in denen sie gemacht wird, mehr oder weniger grundsätzlich ab. So kann es für sie keine wirkliche Neuinterpretation der Tradition geben. Außerdem neigen sie dazu, den Verpflichtungsgrad der einzelnen kirchlichen Lehraussagen prinzipiell sehr

[2] Vgl. H. Noldin/A. Schmitt, Summa theologiae moralis, Innsbruck ^{31}1955, 150f.

hoch einzuschätzen: Sie sprechen sehr schnell von unveränderlichen Dogmen, die für alle Christen durch alle Zeiten hindurch glaubensverbindlich seien.

Was nun die uns beschäftigende Frage angeht, so meinen Traditionalisten, man müsse in einer Zeit, in der Teufel und Dämonen nicht mehr ernst genug genommen würden, ihre Existenz und ihre Wirkung besonders betonen. Wie extrem man in diesen Kreisen denkt, beweist die von ihnen besorgte Neuausgabe eines dämonologischen Werkes[3], das praktisch alles, was man in der frühen Neuzeit den Hexen vorwarf, für bis in unsere Zeit möglich und auch tatsächlich vorkommend hält — wobei der Autor anerkennt, daß zur Zeit der Hexenverfolgung viele Justizirrtümer passiert seien, durch teuflische Irreführung der Inquisitoren, wie er meint. Nach den Aussagen dieses Buches gibt es alle nur denkbaren Formen der Zauberei[4] ebenso wie die Umkleidung menschlicher Körper mit tierischen Scheinkörpern (= Tierverwandlung)[5] oder Geschlechtsverkehr zwischen Menschen und Dämonen[6].

Aus diesem Hintergrund ist es verständlich und konsequent, wenn man alle im 1. Kapitel dargestellten Strömungen als unmittelbare Auswirkungen dämonischer Aktivität beurteilt[7]: den Satanismus eines Charles Manson oder der „Church of Satan"[8], ebenso wie die Hexenzirkel des Wicca-Kultes und überhaupt alles, was mit magischen Phänomenen, insbesondere mit Schwarzer Magie, zu tun hat.

In einer österreichischen katholischen Monatszeitung werden die — im 5. Kapitel zu besprechenden — Katechesen Papst Johannes Pauls II. über den Satan aus dem Jahr 1986 ganz in den Zusammenhang des Satanismus gestellt: „Auf der ganzen Erde pervertieren

[3] E. v. Petersdorff, Daemonologie. Bd. 1, Daemonen im Weltenplan, Bd. 2, Daemonen am Werk, Stein a. Rhein ²1982.

[4] Ebd., Bd. 2, 196—215.

[5] Ebd., 214f.

[6] Ebd., 123—125.

[7] G. Siegmund, Der Mensch zwischen Gott und Teufel, Stein a. Rhein 1979, bes. 40—46; ders., Nachwort zu E. v. Petersdorff, Daemonologie 1, 409—415; P. M. Schwarz, Teufel—Dämonen—Besessene. Das Reich der Finsternis, Wien 1976, 11—77.

[8] Vgl. F. Holböck, Einführung zu E. v. Petersdorff, Daemonologie 1, VII.

heute Teufelsanhänger menschliches Denken. Es gibt keine Perversität, die ihnen nicht einfiele. Was treibt diese Menschen zu Magie, Wahrsagerei, Hexenwahn und Satanskult?" Der folgende Satz ist wohl als Antwort gedacht: „Der Teufel ist eine Wirklichkeit." Sodann wird über verschiedene Formen des Satanismus berichtet. Die ganze Aufbereitung des Themas will offenkundig insinuieren: Die Szene ist der Ort einer unmittelbaren Präsenz des Satans und der Dämonen.[9]

Man hat manchmal fast den Eindruck, daß Menschen, die so denken und fühlen, den modernen Satanismus als Bestätigung ihres traditionellen Satans- und Dämonenglaubens erleben. Die dort vorkommenden Scheußlichkeiten und Perversionen, der heidnische und antichristliche Geist und die unerklärlichen Phänomene sind für sie geradezu ein Beweis für die überkommene Lehre. Sogar die Hexenprozesse der frühen Neuzeit werden auf diesem Hintergrund insofern verständlich, als den Hexen ähnliche Vergehen wohl nicht ohne Grund zugeschrieben wurden, wie man annimmt. In diesem Sinn äußerte sich im Jahr 1984 ein amerikanischer Philosoph in einem Brief an mich, in dem es sinngemäß hieß: Mag man auch die Art der Verfahren gegen die Hexen und die Angemessenheit der Strafen mit Recht kritisieren, es handelte sich jedenfalls nicht um einen bloßen Wahn: das beweist der heutige Satanismus.[10]

Im letzten Jahrzehnt hat sich die Charismatische Erneuerung sehr stark in der katholischen Kirche ausgebreitet. In dieser Bewegung spielt die Dämonologie zumeist eine nicht geringe Rolle. Teilweise ist sie theologisch relativ differenziert[11], teilweise aber sehr naiv und unreflektiert. Da diese fragwürdigen Ansichten zumeist stark von jenen aus dem evangelischen Raum kommenden fundamentalistischen Strömungen geprägt sind, die im nächsten Unterabschnitt besprochen werden, werden sie dort mitbehandelt.

[9] Zeitschrift der Katholiken für Glaube und Kirche. Der 13. v. 13.9.1986.
[10] Vgl. auch G. Siegmund, Der Mensch, 45.
[11] Vgl. z.B. H. Mühlen, Erfahrung des Bösen und Unterscheidung der Geister. Auf dem Weg zu einer neuen Praxis der Befreiung, in: Erneuerung in Kirche und Gesellschaft 21 (1984) 9–18.

c) Stellungnahmen aus der Sicht fundamentalistischer evangelischer Gruppen. Im Bereich des evangelischen Christentums gibt es keine allgemein geteilte Tradition zur Lehre vom Satan und von den Dämonen. Die Reformatoren vertraten diesbezüglich im wesentlichen die Annahmen der Katholiken. Es gab zwar sicher andere theologische Akzentsetzungen. Diese gingen aber nicht so weit, daß es in den Gebieten, in denen sich die Reformation durchgesetzt hatte, etwa weniger Hexenverfolgungen gegeben hätte als in katholischen Ländern.

Ein Teil der evangelischen Theologen hat sich freilich von dieser Dämonologie viel früher distanziert, als es in der katholischen Kirche der Fall war. Schon im 18. Jahrhundert konnte im evangelischen Raum die Annahme der Existenz Satans und der Dämonen als personale Wirklichkeiten abgelehnt werden.

Freilich nehmen im Gegensatz zu dieser Position, die vor allem von der liberalen protestantischen Theologie bezogen wurde, auch im 20. Jahrhundert viele evangelische Theologen an, daß es böse Geister gibt, die irgendwie persönlich gedacht werden müssen. In den Aussagen zu ihrer konkreten Wirksamkeit sind sie freilich zumeist zurückhaltender und differenzierter als die im vorigen Unterabschnitt dargestellte katholische Lehrtradition.[12] Anders ist es freilich in Strömungen des Protestantismus, die von einem fundamentalistischen Verständnis der Bibel ausgehen.

Der *Fundamentalismus* lehnt die moderne historisch-kritische Schriftauslegung ab. Die Aussagen der Bibel seien entweder in wörtlichem oder in vom biblischen Autor direkt intendiertem symbolischem Sinn wahr. Es gebe in der Bibel keine zeitbedingten und heute überholten Anschauungen. Dieses Prinzip läßt sich zwar heute kaum mehr ganz konsequent vertreten — auch viele Fundamentalisten anerkennen z. B., daß etwa das astronomische Weltbild der Bibel zeitbedingt ist —, aber es wird doch soweit wie nur irgendwie möglich hochgehalten. Man hat offenbar Angst, daß

[12] Vgl. P. Althaus, Die christliche Wahrheit. Lehrbuch der Dogmatik, Gütersloh ^{6}1962, 388—395; E. Brunner, Dogmatik, Bd. 2. Die christliche Lehre von Schöpfung und Erlösung, Zürich 1960, 146—161; auch H. Thielicke, Der evangelische Glaube. Grundzüge der Dogmatik, Bd. 3, Tübingen 1978, 598—604.

ein zu weitgehendes Abgehen davon der Autorität der Bibel als Gottes Wort Abbruch tun könnte.
Fundamentalisten entwickeln vom Wirken Satans und der Dämonen ein äußerst konkretes Bild, das ihrer Meinung nach der biblischen Sicht entspricht. Sehr extrem und trotzdem von großem Einfluß, dem ich auch schon in katholischen Gruppierungen begegnet bin, ist Kurt E. Koch.[13] Nach seinem Grundverständnis mischen sich die dämonischen Geister ganz unmittelbar in den Weltlauf ein und tun sich immer wieder als persönliche Wesen kund. Der besondere Ausdruck ihrer Gegenwart ist einerseits der sündhaft-böse, antichristliche, widergöttliche Geist einer Verhaltensweise oder einer geistigen Strömung, wobei Koch einen äußerst rigorosen Maßstab anlegt, und anderseits „okkulte" Phänomene, d. h. wissenschaftlich unerklärliche Vorgänge in der äußeren Natur und in der menschlichen Psyche, in denen sich die übermenschliche Macht der Dämonen unmittelbar auswirkt. Dabei braucht es diese Phänomene nicht immer zu geben, damit die Diagnose angebracht ist, eine bestimmte Begebenheit sei dämonisch verursacht; der widergöttliche Charakter allein kann genügen.
Bei Koch wird alles erwähnt, was im 1. Kapitel von der Szene geschildert wurde. Er ist dabei sehr schnell geneigt, auch die erstaunlichsten und unglaublichsten Geschichten für bare Münze zu nehmen. Sein Urteil ist immer gleich: Dämonische Aktivität ist der unmittelbare Grund für solche Dinge. Er hält dabei den Volksglauben an die Kraft der Schwarzen Magie[14], das also, was im 1. Kapitel „Fortleben des alten Hexenglaubens" genannt wurde, grundsätzlich für berechtigt. Verschiedene Formen des Satanskultes, die ohne genauere Analyse ihres Selbstverständnisses und ihrer Motive aufgezählt werden, seien vom biblischen Satan, wie Koch ihn sieht, inspiriert worden und würden letztlich ihm gelten.[15] Satanisten

[13] K. E. Koch, Seelsorge und Okkultismus. Eine Untersuchung unter Berücksichtigung der Inneren Medizin, Psychiatrie, Psychologie, Tiefenpsychologie, Religionspsychologie, Parapsychologie, Theologie, Basel [25]1982; ders., Okkultes ABC. Ergänzungsband zum Buch „Seelsorge und Okkultismus", Ulm 1984.
[14] K. E. Koch, Okkultes ABC, 369–375.
[15] Ebd., 522–530.

verdankten den Dämonen staunenswerte okkulte Fähigkeiten, sie könnten in der Luft schweben, auf magische Weise fliegende Vögel töten, Gegenstände in geschlossenen Räumen erscheinen und verschwinden lassen.[16] Die „Praktikanten der schwarzen Messe" seien „Satans Elitetruppen"[17]. Sogar das Stichwort „Feminismus" erscheint in Kochs Aneinanderreihung okkult-dämonischer Phänomene[18]: er nennt den Kult der Göttin blasphemisch, und die gesellschaftlichen Anliegen der Frauenbewegung werden total abgelehnt. Offensichtlich sind für Koch auch alle diese Strömungen unmittelbar diabolisch gelenkt.

In Fragen der Dämonologie ist übrigens zwischen den evangelischen Fundamentalisten und den katholischen Traditionalisten ein weitreichender Konsens festzustellen, der sich auch darin zeigt, daß Koch von den letzteren öfters empfehlend zitiert wird und er selbst sich mit ihnen in vielem einig weiß.

Eine ähnliche inhaltliche Sicht und einen ähnlichen interkonfessionellen Konsens gibt es auch in der Charismatischen Erneuerung. Auch in dieser Bewegung ist das fundamentalistische Bibelverständnis weit verbreitet, freilich oft mehr an der „Basis", d. h. in den einzelnen Gebetsgruppen, während es in beiden Konfessionen zur Charismatischen Erneuerung gehörige Theologen gibt, die für eine größere Differenziertheit plädieren.

Die charismatisch-fundamentalistische Beurteilung der Szene ist der eben dargestellten sehr ähnlich[19]: Die dort zu beobachtenden Strömungen und Praktiken seien das Tor, durch das das Reich der bösen Geister in besonderer Weise in unsere Zeit einbrechen und die Menschen von Gott abbringen wolle. Besonders die okkulten Phänomene, die bei den Satanisten und Hexen geschehen sollen — auch bei Anhängern der Charismatischen Erneuerung herrscht

[16] Ebd., 353.

[17] Ebd., 531.

[18] Ebd., 127—131; ähnlich P. Beyerhaus (Hg.), Frauen im theologischen Aufstand. Eine Orientierungshilfe zur „Feministischen Theologie", Neuhausen—Stuttgart 1983, 42; 56.

[19] Vgl. W. C. van Dam, Okkultismus und christlicher Glaube, Schorndorf 1981, 54—66. — Ich habe van Dam irrtümlich als Gegner der Charismatischen Erneuerung bezeichnet: vgl. C. Weis, Begnadet, 82.

diesbezüglich oft ein hohes Maß an Leichtgläubigkeit —, werden als Beweis dafür gewertet.
Sowohl die traditionalistisch-katholische Sicht als auch der evangelische Fundamentalismus halten freilich nicht die Erscheinungen der Szene für das eindrucksvollste Zeichen dämonischen Wirkens. Am deutlichsten erweise sich vielmehr die persönliche Gegenwart böser Geister in der Besessenheit. Hier werde sie nicht nur geradezu empirisch greifbar, sei man nicht nur mit den Dämonen sozusagen von Angesicht zu Angesicht konfrontiert, sondern hier stünde auch eindeutig die Autorität des Neuen Testamentes hinter der dämonologischen Interpretation der Tatsachen. So ist im folgenden Abschnitt auf das Thema der Besessenheit einzugehen.

2. *Die Besessenheit als deutlichste Manifestation der bösen Geister*

Aus der Sicht der katholischen Traditionalisten und der evangelischen Fundamentalisten sowie verschiedener Gruppierungen der Charismatischen Erneuerung in beiden Konfessionen sind Hexen und Satanisten den bösen Geistern insofern verfallen, als sie von ihnen zum Abfall von Gott, zu einem gottwidrigen Leben und zu verbotenen Praktiken verführt worden sind; sie bleiben aber im Besitz ihrer menschlichen Selbstbestimmung und können über die außergewöhnlichen Kräfte der Dämonen sogar bis zu einem gewissen Grad verfügen. Anders die Besessenen: sie gelten als mehr oder weniger willenlose Werkzeuge böser Geister, die das geistige Zentrum der Betroffenen sozusagen ausgeschaltet und sich selbst an dessen Stelle gesetzt haben. So können sich die Dämonen des Leibes der Besessenen unmittelbar bedienen und durch ihn persönlich in Erscheinung treten. Die Besessenheitslehre der genannten Gruppierungen wird im folgenden in einem dargestellt, und es wird nur in einzelnen Punkten auf Auffassungsunterschiede hingewiesen.[20]

a) Kennzeichen der Besessenheit. Die Kriterien, die es erlauben, einen psychischen Ausnahmezustand als Besessenheit zu diagnosti-

[20] Vgl. K. Elliger, Besessenheit, in: H. Haag, Teufelsglaube, 391—439; C. Weis, Begnadet, 76—82.

zieren, werden von den verschiedenen Autoren[21] in eine unterschiedliche Ordnung gebracht. Ich treffe im folgenden eine eigene Einteilung, in der, wie mir scheint, alle wesentlichen Besessenheitssymptome untergebracht werden können.

1. Persönlichkeitswechsel: Der Betroffene scheint zeitweise, in den Zuständen der Krise, ein anderer zu werden. Sein ganzes Gehaben, der Ausdruck seines Gesichtes, die Klangfarbe und die Tonlage seiner Stimme verändern sich. Manche können bewußt miterleben, wie diese Zustände über sie kommen und was in ihnen vorgeht, ohne daß sie sich freilich dagegen wehren können. Bei anderen ist das Normalbewußtsein total ausgeschaltet, und sie wissen nach Aufhören des Besessenheitsanfalles nichts von dem, was währenddessen vor sich ging. Die Fremdpersönlichkeit — oft treten übrigens mehrere auf — weiß freilich in jedem Fall Bescheid von den Lebensumständen des Besessenen, von dem sie zumeist in verächtlichen Ausdrücken in der dritten Person redet. Nicht immer braucht sie sich so eindeutig bemerkbar zu machen. Sie kann sich auch nur darin zeigen, daß der Kranke die Kontrolle über seinen Körper verliert, in Lähmung, Bewußtlosigkeit oder Trance verfällt. Oft kann es sich um psychische oder körperliche Phänomene handeln, die zunächst auf eine Psychose oder Neurose schließen lassen, Krankheitszustände, die ja auch den Menschen in seiner Selbstbestimmung beeinträchtigen. Man kann im übrigen bei manchen Autoren die Tendenz beobachten, psychische Krankheiten und Störungen ganz generell als von Dämonen bewirkt einzuschätzen.[22]

2. „Dämonischer" Charakter der Fremdpersönlichkeit: Der Besessene ist im Zustand der Krise sehr oft voll ungezügelter Aggressivität, die sein Reden und sein Benehmen bestimmt. Wütende Beschimpfungen anderer, zynische Reden, Tätlichkeiten, aber auch

21 Vgl. A. Rodewyk, Die dämonische Besessenheit in der Sicht des Rituale Romanum, Aschaffenburg ²1975; C. Balducci, Priester—Magier—Psychopathen. Grenzen zwischen Wahn und Teufel, Aschaffenburg 1976; W. C. van Dam, Dämonen und Besessene. Die Dämonen in Geschichte und Gegenwart und ihre Austreibung, Aschaffenburg ²1975; K. E. Koch, Besessenheit und Exorzismus, Ulm 1981.

22 Vgl. H. E. Freeman, Befreiung aus dem Netz des Okkultismus, Urbach o. J. (amerikanische Originalausgabe: Plainfield 1974).

wildes Brüllen, Tobsuchtsanfälle prägen das Bild. Auch primitive anale und sexuelle Tendenzen zeigen sich, die Besessenen ergehen sich in vulgären und obszönen Ausdrücken und Verhaltensweisen. Besonders auffällig ist die Abneigung gegen alles Religiöse: die Nennung heiliger Namen, die Konfrontation mit religiösen Symbolen, die Aufforderung zu Bibellesung, Gebet oder Empfang der Eucharistie rufen Angst, Abscheu, Wut oder Lähmung hervor. Der Besessene stößt blasphemische Tiraden aus und neigt auch zu sakrilegischen Aktionen, z. B. Schändung von Hostien.
3. Außergewöhnliche Fähigkeiten: Durch sie werden die übermenschlichen Kräfte der Fremdpersönlichkeit unter Beweis gestellt. Dazu gehören: das Verstehen oder Sprechen von dem Besessenen unbekannten Sprachen (Xenoglossie), das Wissen um verborgene Dinge, z. B. um Bewußtseinsinhalte anderer Menschen (Telepathie) oder um zukünftige Ereignisse (Präkognition), besondere Wirkmöglichkeiten, z. B. übergroße Körperkräfte, Hervorrufen von Geräuschen oder Beeinflussung von Gegenständen auf übersinnlichem Weg (Spuk), Schweben (Levitation), unerklärliches Austreten von Gegenständen, z. B. von Nägeln, Steinen oder Insekten aus dem Körper, entweder aus Körperöffnungen oder auch direkt aus der Haut.
Im allgemeinen liegt auf den außergewöhnlichen Fähigkeiten das entscheidende Gewicht, wenn es gilt, Besessenheit zu diagnostizieren. Im Rituale Romanum, das den heute noch gültigen offiziellen Ritus der katholischen Kirche für die Austreibung von Dämonen enthält, sind diese Kriterien überhaupt als einzige angeführt.[23] Das entspricht der Bedeutsamkeit analoger Phänomene bei der Beurteilung des Satanismus und des Hexenglaubens. Wie wir gesehen haben, geben ja auch dort „okkulte" Vorgänge letztlich den Ausschlag für die Annahme, es seien Dämonen am Werk.
Noch ein Hinweis auf die Vorstufen der Besessenheit. Nicht jede dämonische Bedrängnis ist Besessenheit; die bösen Geister können nicht immer gleich das Zentrum der von ihnen angegriffenen Person in Besitz nehmen. So kann der Besessenheit im eigentlichen

[23] Rituale Romanum, titulus XII, cap. 1.

Sinn eine Art Belagerungszustand vorausgehen, bei dem der Betroffene zwar bereits unter direktem dämonischen Einfluß steht, aber noch nicht wie ein willenloses Instrument von den Dämonen beherrscht wird. Die Symptome sind zum Teil ähnlich wie bei der Besessenheit, nur sind sie weniger stark ausgeprägt und nehmen vor allem dem Kranken seine Selbstbestimmung nicht so total, wie es zeitweise bei der Besessenheit der Fall ist. Man verwendet zur Bezeichnung dieses Zustandes in katholischen Kreisen gerne das Wort „Umsessenheit", im evangelisch-fundamentalistischen Bereich spricht man von dämonischer Belastung oder Bedrängnis, dieser zweite Sprachgebrauch ist auch in der Charismatischen Erneuerung in beiden Konfessionen üblich.

b) Exorzismus. Unter Exorzismus versteht man die Austreibung der bösen Geister. Sie geschieht durch den Exorzisten, der ihnen befiehlt, ihr Opfer zu verlassen. Der Exorzist vermag freilich diesen Befehl nicht aus eigener Machtvollkommenheit wirksam zu geben, sondern er muß im Namen und in der Vollmacht Jesu Christi sprechen. Obgleich der Exorzismus vom Exorzisten höchsten Einsatz verlangt und zumeist ein hartes Ringen zwischen ihm und den Dämonen ist, ist es doch letztlich Christus selbst, der sie vertreibt. Katholiken betonen dazu noch den Namen und die Vollmacht Marias und des Erzengels Michael, die im Kampf gegen die Dämonen eine große Rolle spielen.[24]

Bevor ein Exorzismus vorgenommen wird, muß die Tatsache der Besessenheit — mit Hilfe der genannten Kriterien — eindeutig festgestellt werden. Da diese Kriterien nicht immer zu einem klaren Ergebnis führen, kann zunächst ein Probeexorzismus vorgenommen werden. Er besteht darin, daß — unbemerkt vom anscheinend Besessenen, also nur in Gedanken — eine Aufforderung an die Dämonen zum Ausfahren gesprochen wird. Wenn sich daraufhin auffällige Wirkungen zeigen, etwa Trancezustände, Unruhe, Aggressivität, Blasphemie, dann gilt das als deutliches Zeichen für Besessenheit.

[24] A. Rodewyk, Die dämonische Besessenheit, 184; ders., Dämonische Besessenheit heute. Deutungen und Tatsachen, Aschaffenburg 1966, 119.

Vom Exorzisten wird verlangt, daß er ein glaubensstarker, moralisch hochstehender, seelsorglich erfahrener Mensch sei. Nach katholischer Disziplin darf im eigentlichen Sinn nur ein Priester exorzieren; die bisher weit verbreitete Praxis, daß den sogenannten „Kleinen Exorzismus" auch Laien sprechen dürfen, wurde 1985 von der Glaubenskongregation untersagt.[25] Für den Exorzismus eines nicht nur von Dämonen Bedrängten, sondern im vollen Sinn Besessenen, braucht ein Priester eine spezielle Erlaubnis des Bischofs; diese kann bestimmten Priestern auch auf Dauer gegeben werden, wie es 1986 in Turin geschah.[26] In evangelischen Kreisen betont man weniger die amtliche Vollmacht zum Exorzismus, sondern mehr die dazu notwendige charismatische Kraft, die auch einfache Christen haben können.

Damit der Exorzist die Dämonen austreiben kann, muß er sich nach allgemeiner Ansicht über sie ein Bild machen, d. h. er muß für gewöhnlich ihre Zahl und ihre Namen sowie den Grund ihres Einfahrens kennen. Der Name eines Dämons soll dem Exorzisten etwas über die dämonische Persönlichkeit offenbaren und ihm zeigen, wie er mit dem bösen Geist umzugehen hat. Zumeist muß jeder Dämon einzeln angesprochen und ausgetrieben werden. Der Grund des Einfahrens gibt dem Exorzisten wichtige Hinweise auf die Struktur des ganzen Falles. Es zeigt sich nun, daß es in der Tat sehr oft zu einem erstaunlich echt wirkenden Dialog zwischen dem Exorzisten und der dämonischen Fremdpersönlichkeit kommt. Nicht selten treten, wie bereits gesagt, sogar mehrere Dämonen auf, die sich durch den Besessenen als ihr Werkzeug in ganz verschiedener Weise kundtun: Jeder prägt ihm einen eigenen Gesichtsausdruck auf, gibt seiner Stimme einen bestimmten Klang, zeigt einen besonderen Charakter und eine spezifische Gedankenwelt. Oft zieht sich das Exorzieren über lange Zeit hin, d. h. es müssen viele Einzelexorzismen vorgenommen werden, ohne daß die Dämonen vertrieben werden könnten, bzw. sie fahren kurz aus, kehren aber bald wieder zurück. In solchen Fällen kann es zu zahl-

[25] Brief an die Bischöfe v. 28.9.1985.
[26] Kathpress v. 20.2.1986.

reichen ausgedehnten Dialogen kommen. Auf die Frage, ob den Aussagen der Dämonen Glauben geschenkt werden kann, wird im allgemeinen geantwortet, man müsse zwar ständig mit Irreführungen rechnen, grundsätzlich aber würden die Dämonen, die direkt unter dem Exorzismus stünden, von Gott dazu gezwungen, die Wahrheit zu sagen.

Als Ursache der Besessenheit geben die Dämonen unter anderem an, der Betroffene sei als Kind verflucht worden, er oder seine Vorfahren seien mit Magie in Kontakt gewesen (Belastung durch Okkultismus, besonders häufig bei Exorzismen im protestantisch-fundamentalistischen Milieu) oder er habe den Teufel selbst herbeigerufen oder gar ein Bündnis mit ihm geschlossen.

Als letzter Grund der Besessenheit gilt freilich Gott selbst, der sie in seinem unerforschlichen Ratschluß, wie man sich oft ausdrückt, zuläßt. Vor allem im katholischen Bereich werden für diese Zulassung spezielle Gründe genannt: Die Besessenheit diene als Strafe für die eigenen Sünden, als Sühne für die Sünden anderer oder auch als Erweis der Wahrheit des Glaubens. Was diesen letzten Punkt betrifft, so fällt auf, daß besonders bei Exorzismen im katholischen Bereich die Dämonen manchmal sehr ausführlich, gegen ihren Willen, auf unmittelbaren göttlichen Befehl, über bestimmte Glaubenswahrheiten detaillierte Auskünfte geben, wodurch diese Glaubenswahrheiten auf recht unerwartete Weise bekräftigt werden, sozusagen aus höllischer Perspektive.

Wie bereits angedeutet, kann der Exorzismus ein langer und harter Kampf werden, in dessen Verlauf es schreckliche Szenen voll düsterer Unheimlichkeit geben kann. Dem Exorzisten wird alles abverlangt an Nerven- und Glaubensstärke.

Nicht alle Exorzismen enden erfolgreich. Manche Menschen zeigen ihr ganzes Leben lang immer wieder neue Symptome von Besessenheit; der bekannte Exorzismus in Klingenberg, auf den wir noch zu sprechen kommen, endete mit dem Tod der Betroffenen. In vielen Fällen hat es aber den Anschein, als ob die bösen Geister schließlich doch ausführen. Sie geben dabei manchmal ein Zeichen ihres Entweichens, das vom Exorzisten selbst bestimmt wird: Verlöschen einer Kerze, widerwilliges Sprechen eines Gebetes oder Bekenntnisses. Die Betroffenen können sich dann wie von einer schweren Last befreit fühlen und mehr oder weniger symptomfrei werden, sie bleiben aber freilich längere Zeit gefährdet, in die Besessenheit zurückzufallen.

c) Beispiele. Die folgenden Berichte sind aus der Sicht der Beteiligten, wie sie in den beiden vorigen Unterabschnitten beschrieben wurde, abgefaßt; auf kritische Kommentare wird vorerst verzichtet, sie werden in den folgenden Kapiteln des Buches gegeben werden.

1. Die erste Geschichte ereignete sich in einer Pfingstgemeinde. Die Spiritualität der Pfingstler war bekanntlich die inspirierende Quelle für das Aufbrechen der Charismatischen Erneuerung im Raum der großen evangelischen Landeskirchen und der katholischen Kirche. Derek Prince, der in der Begebenheit[27] die Hauptrolle spielt, ist auch schon im deutschen Sprachraum in Gruppen der Charismatischen Erneuerung hervorgetreten.

Prince fühlte sich bei einer Predigt, die er während eines Sonntagsgottesdienstes hielt, in ganz besonderer Weise vom Heiligen Geist ergriffen. Als die Predigt an einem Höhepunkt angelangt war, zeigte eine Frau, und zwar die Pianistin der Kirche, die mit einem Pfarrerssohn verheiratet war, plötzlich eine überraschende Reaktion: Sie stieß ein langgezogenes Heulen aus, warf die Arme in die Höhe und fiel wie ein Holzklotz zu Boden. Prince sprach die Frau an: „Schlechter Geist, der du diese Frau bewohnst, wie heißt du?" Aus der Frau antwortete nach längerem Sträuben eine fürchterliche männliche Stimme: „Ich heiße Lüge." Nachdem Prince die Gemeinde darauf hingewiesen hatte, daß es nach der Bibel (1 Kön 22) tatsächlich vorkommen könne, daß der Geist der Lüge durch Menschen sprechen könne, forderte er den Dämon auf, die Frau zu verlassen. „Es war eine richtige Schlacht. Der Dämon widerstand und weigerte sich, fortzugehen. Aber, nach zehn Minuten, verließ er sie mit einem langen Röcheln. Als er sie verließ, hing die Zunge der

[27] Wiedergabe n. G. Schindelholz, Exorzismus. Ein Priester berichtet, Altstätten 1984, 116–120.

Frau aus ihrem Mund; ihre Hautfarbe hatte eine bläuliche Tönung angenommen, und sie wand sich zusammen. Der Geist war ausgezogen, aber ich wußte, es war ein anderer zurückgeblieben." Als man sich nach dem Gottesdienst in einen kleineren Kreis zurückgezogen hatte, geriet die Frau in einen Tobsuchtsanfall. Sie riß sich die Kleider vom Leib und versuchte, auch die Umstehenden zu entkleiden. Die Eltern der Frau erzählten Prince, daß diese und ihr Mann auf eine „seltsame Bahn" geraten seien; Prince selbst erfuhr später von „perversen Gewohnheiten" ihrer ehelichen Beziehungen. Nach zweistündigem Exorzismus war schließlich der letzte Dämon gegangen. Die Frau „erhob die Arme und begann Gott für ihre Befreiung zu loben".

Die „dämonische" Fremdpersönlichkeit ist in diesem Beispiel deutlich sichtbar; es fehlen freilich die paranormalen Erscheinungen. Nach dem Rituale Romanum dürfte man hier keine Besessenheit annehmen. Trotzdem findet sich das Beispiel im Buch eines katholischen Priesters.

2. Aus demselben Buch noch ein Beispiel aus einem katholischen Milieu, die Geschichte soll sich in Frankreich ereignet haben[28]: Zu einem Kapuziner, der oft mit Exorzismen betraut wurde, kam ein Industrieller, der an unerklärlichen Bauchschmerzen litt. Er hatte sich vor fünf Jahren bekehrt, vorher hatte er sich der Schwarzen Magie hingegeben und mit Satan ein Bündnis geschlossen, um das Leben in vollen Zügen zu genießen. Aufgrund dieser Informationen deutete der Kapuziner die Bauchschmerzen sofort als Zeichen von Besessenheit. Auf den Exorzismus reagierte der Mann zunächst nicht. Nach mehrmaligen Versuchen im Lauf der nächsten Tage, änderte sich die Qualität der Schmerzen: Sie wurden wie Feuerqualen. Schließlich, nach weiteren Exorzismen, sagte der Mann: „Pater, die Hölle...die Hölle in meinem Bauch." Ein anderes Mal schlief er während des Exorzismus ein und geriet in völlige Bewußtlosigkeit, er wurde starr „wie ein Eisblock". Später klagte er über Rückenschmerzen, die der Kapuziner von Schwestern auf organische Ursachen untersuchen ließ, es wird nicht gesagt, ob es sich um

[28] Ebd., 95–106.

eine medizinische Fachuntersuchung handelte, das scheint eher nicht der Fall gewesen zu sein. Als man keine organische Ursache fand, schritt man in Gegenwart der Schwestern und einiger anderer Zeugen zum Exorzismus. Bei diesem und einem weiteren Beschwörungsritual am Tag darauf sollen erstaunliche Dinge geschehen sein. Eine Auswahl: Beim ersten Kreuzzeichen entwischte der Mann denen, die ihn festhielten, „stieg wie ein Kugelblitz die Wand mit großem Tempo empor, wurde in die Luft zurückgeworfen und saß wieder aufrecht am Boden, den Kopf nahe der Wand, das linke Bein ausgestreckt, das rechte Bein geknickt, so wie jemand aussieht, der Treppe steigt. In dieser Position fand er sich direkt einem Marienbild gegenüber, das er zurückstieß..." Als der Besessene angebunden und von mehreren Männern festgehalten wurde, wurden die Seile „wie von Zauberhand gelöst, und er entfloh in den Kirchenraum. Schließlich setzten sich die Männer auf ihn. Kaum hatten sie „Platz genommen", erhob er sich mit ihnen „wie ein Luftschiff" vom Boden. Er kam wieder zur Erde, sprang auf und schrie: „,Pater, ich bin geheilt!'" Alle Männer wollten beichten, obschon sich unter den Anwesenden solche befanden, die nicht praktizierten. Der Kapuziner fügt hinzu: „Ich gehe immer mit einer gewissen Absicht auf diese Weise vor. Wenn ich so außergewöhnliche Fälle habe, lasse ich oftmals Männer, die nicht praktizieren, die Katholiken sind, kommen..." Der Besessene war freilich nicht endgültig befreit. Nach zwei Monaten begann es von vorne. Es wird nicht berichtet, wie die Sache ausging.

3. Kurt E. Koch, auf den wir bereits im vorigen Abschnitt gestoßen sind, hat sich auch ausführlich mit dem Problem der Besessenheit befaßt: Sein einschlägiges Buch bringt eine Fülle von Beispielen. Im folgenden eines, das er selbst erlebt hat[29]:

Bei einem von Koch in einer theologischen Schule auf den Philippinen gehaltenen Seminar kam ein junger Mann zu ihm, der über Kopfweh und Übelkeit klagte und ihn bat, mit ihm zu beten. Als Koch diesem Wunsch nachkam, fiel der junge Mann bewußtlos zu Boden. Daraufhin wurden andere Seelsorger und Lehrer hinzuge-

[29] K. E. Koch, Besessenheit, 30—38.

zogen. „Bei dem gemeinsamen Gebet sprachen plötzlich Fremde aus dem Besessenen." Die Dämonen gaben an, sie seien 50 an der Zahl. Als man ihnen befahl, ihr Opfer zu verlassen, schrieen sie: „Wir gehen nicht fort. Wir haben hier eine Aufgabe. Ihr habt eine gute Schule. Wir wollen euch den Modernismus bringen...Die Modernisten und Liberalisten sind unsere Genossen." Aus den Angaben der Dämonen ergab sich übrigens auch, daß einige Modernisten dabei waren, sich in den Lehrkörper eingliedern zu lassen. Der junge Mann verstand im Zustand der Besessenheit mehrere von ihm nie gelernte Sprachen. „Einmal wurde ihm ein Bibelvers in Russisch gesagt, da antwortete er fließend auf russisch." Auch alle andere Symptome der Besessenheit waren ganz eindeutig: Hellsichtigkeit, übernatürliche Kräfte — es brauchte manchmal sechs bis neun Studenten, um den Mann festzuhalten —, Haß gegen alles, was mit dem Glauben zu tun hat. Koch selber wurde mehrfach von den Dämonen angegangen. Einmal rief ihm der Besessene zu: „Dr. Koch, du hast uns in Frankreich gequält, du hast uns in der Schweiz gequält. Jetzt quälst du uns auf den Philippinen. Lasse uns in Ruhe!" Der exorzistische Kampf dauerte Stunden. Dann war der junge Mann frei. Er konnte sich an nichts von dem, was vorgefallen war, erinnern.

4. Methodisch am sorgfältigsten dokumentiert hat der bekannte Jesuit Adolf Rodewyk einen Besessenheitsfall, den er selbst durch Jahre hindurch betreute.[30]

Rodewyk lernte als Lazarettseelsorger eine Krankenschwester kennen, deren zeitweilige Verhaltensstörungen ihn schließlich an Besessenheit denken ließen. Als er einen Probeexorzismus vollzog, verlor sie das Bewußtsein und reagierte stark abwehrend gegen Weihwasser. Andere Kennzeichen der Besessenheit wurden sichtbar, nachdem Rodewyk als bischöflich bestellter Exorzist seines Amtes zu walten begonnen hatte. Die Schwester verstand fremde Sprachen, konnte sie allerdings nicht sprechen, sie verfügte über hellseherische Fähigkeiten, sie hatte durch einen mit Blut unterschriebenen Vertrag, auf dem eine Hostie klebte, ein Teufelsbünd-

[30] A. Rodewyk, Dämonische Besessenheit heute.

nis geschlossen. Unter dem Bann des Exorzismus erzählte sie, sie sei als Kind von ihrer Großmutter verflucht worden. Dieser Fluch hätte durch den Taufexorzismus beseitigt werden müssen, der sei aber vom Taufpriester gedankenlos ausgesprochen worden. So sei sie schon als Kind besessen gewesen; dies hätte sich oft in herausforderndem Verhalten, Abneigung gegen das Beten und in Sakrilegien gezeigt; einige dieser Angaben konnte Rodewyk verifizieren. Immer mehr Teufel seien in sie hineingefahren. Rodewyk ortete schließlich deren sieben, die auch ihre Namen bekanntgaben: Kain, Judas, Herodes, Barabbas, Abu Gosh, Nero, Beelzebub, Luzifer. Sie erwiesen sich während der Exorzismen als festumrissene Persönlichkeiten und bestätigten im Lauf der Zeit die ganze traditionelle Lehre über die bösen Geister und die Besessenheit, und zwar sowohl durch ihre Belehrungen, die sie widerwillig — auf Gottes Befehl hin — gaben, als auch durch ihr Verhalten. Rodewyk konnte sie jeweils nur für eine kurze Zeit vertreiben. Sie kamen immer wieder zurück, und zwar bis zum Tod der Krankenschwester im Alter von 43 Jahren.

5. Das letzte Beispiel ist der berühmt-berüchtigte Exorzismus von Klingenberg, der im Jahr 1975/76 an der noch nicht 24 Jahre alten Pädagogikstudentin Anneliese Michel durchgeführt wurde. Die junge Frau starb im Zustand der Besessenheit am 1. Juli 1976. Dieser Fall, der weithin bekannt wurde, soll hier etwas ausführlicher dargestellt werden, wiederum aus der Sicht der an dieser tragischen Geschichte unmittelbar Beteiligten.[31]

Anneliese Michel stammte aus einer tiefreligiösen Familie, die in Klingenberg am Main lebt. Seit ihrem 16. Lebensjahr (1968) litt sie an Anfällen, die von verschiedenen Ärzten als epileptisch diagnostiziert und behandelt wurden. In einer Lungenheilstätte, in der sie nach einem halben Jahr ständiger Erkrankungen ein weiteres halbes Jahr verbringen mußte, sah sie zum ersten Mal halluzinativ Teufelsfratzen, die ihr tiefes Grauen einjagten. Anneliese war in der Folge, auch nach ihrer Rückkehr aus der Heilstätte, depressiv.

[31] J.-M. Faerber, Klingenberg, in: G. Siegmund (Hg.), Von Wemding nach Klingenberg, Stein a. Rhein 1985, 93—161; F. D. Goodman, Anneliese Michel und ihre Dämonen, Stein a. Rhein 1980.

Spukphänomene, unerklärliche Geräusche, die auch ihre Angehörigen wahrnahmen, stellten sich ein. Der Mutter kam zum erstenmal die Idee, Anneliese könne vom Teufel verfolgt sein, zumal diese ihr erzählte, sie sehe dauernd Teufelsfratzen.
Bei einer Wallfahrt nach San Damiano konnte sich Anneliese der Stelle, an der dort angeblich Maria erschienen war, nur unter größtem inneren Widerstand nähern und mußte ihren Blick vom Christusbild abwenden. Auf der Heimfahrt benahm sie sich einer Frau, Thea Hein, gegenüber auffällig, riß ihr eine Medaille herunter und verbreitete einen intensiven Gestank um sich. Frau Hein war bald der festen Meinung, daß es Anneliese mit dem Teufel zu tun habe. Sie nahm Kontakt mit dem bereits genannten Jesuitenpater Adolf Rodewyk auf und vermittelte Anneliese auf seinen Rat hin einem pensionierten Pfarrer, der sich öfters mit ihr unterhielt.
Durch einen anderen Priester, der ebenfalls von Annelieses Zuständen erfahren hatte, wurde schließlich Kaplan Ernst Alt in den Fall hineingezogen. Dieser war ein guter Wünschelrutengeher, hatte manchmal telepathische Erlebnisse und konnte bisweilen zukünftige Ereignisse vorausahnen. Ohne daß er Anneliese je gesehen hätte, überfielen ihn nach bloßen Berichten von Frau Hein über sie und nachdem er von Anneliese und ihrer Mutter geschriebene Briefe in die Hand genommen hatte, merkwürdige Zustände von Erregung und Übelkeit. Besonders arg war es bei der Abendmesse am gleichen Tag und in der darauffolgenden Nacht. Alle möglichen Empfindungen bedrängten Alt, darunter Gestank und Brandgeruch. Erst als er Pater Pio, einen bekannten, wenige Jahre zuvor im Ruf der Heiligkeit verstorbenen charismatisch begabten Kapuziner, angerufen hatte, vergingen die Anfechtungen, und er konnte einschlafen. In der Folge hatte er auch noch eine Christus- und eine Marienvision.
Bald darauf lernte er Anneliese kennen. Sie machte auf ihn einen sympathischen und keineswegs krankhaften Eindruck. Unter anderem sagte sie ihm, sie suche Leute, die ihr glaubten. Damit spielte sie darauf an, daß sie sich von den Ärzten, die sie behandelten, nicht verstanden fühlte. Anneliese war inzwischen auf die Pädagogische Hochschule nach Würzburg gegangen. Dort verliebte sie sich in ei-

nen Studenten, Peter, der fest zu ihr stand, auch in den schrecklichen Ereignissen der Folgezeit. Einer Nervenärztin und einem Psychotherapeuten, die sie in Würzburg konsultierte, erzählte sie nur von ihren Anfällen und Depressionen, nicht aber von den Fratzen, die sie andauernd quälten. Am meisten erleichterten sie die Gespräche mit Ernst Alt, der inzwischen Pfarrer geworden war.

Ernst Alt dachte immer mehr an dämonische Ursachen für Anneliеses Zustand. Auch sie selbst hatte sich diese Sicht wohl schon längere Zeit zu eigen gemacht, und auch ihre Eltern und vor allem Thea Hein waren davon überzeugt. So schrieb Pfarrer Alt im Herbst 1974 an Bischof Dr. Josef Stangl von Würzburg und bat ihn, einen Exorzismus zu gestatten. Der Bischof gab diese Erlaubnis vorerst nicht.

Auf der Pädagogischen Hochschule zog sich Anneliese von ihren bisherigen Freundinnen immer mehr zurück und schloß sich Mädchen an, die als traditionalistisch galten; es bildete sich ein Gebetskreis, bei dem Anneliese oft von San Damiano erzählte. Sie brachte den Freundinnen Wasser vom dortigen Brunnen, das besonders gegen die Macht des Bösen schützen sollte. Ihr Zustand wurde schlimmer: Sie machte schwerste innere Krisen durch und wurde von zwanghafter Abneigung gegen religiöse Gegenstände und dem Gefühl, verdammt zu sein, gequält. Schließlich sprach Pfarrer Alt einmal, ohne daß sie es wahrnehmen konnte, einen Probeexorzismus. Sie sprang sofort auf und zerriß schreiend einen Rosenkranz. Ihre Haltung war drohend. Als ihr Freund kam, herrschte sie ihn mit total veränderter Stimme an: „Peter, raus!"

In den Ferien 1975, im August, wurde es schließlich ganz schlimm. Anneliese raste Tag um Tag durchs Elternhaus, treppauf, treppab, springend wie ein Ziegenbock, wälzte sich im Kohlenstaub des Kellers, steckte den Kopf in die Toilette. Sie stopfte sich Spinnen und Fliegen in den Mund, urinierte auf den Küchenboden und leckte den Harn auf, zerstörte Heiligenbilder und Kreuze. In ihrer Verzweiflung rief die Familie Rodewyk zu Hilfe. Er kam, und als er mit Anneliese sprach, meldete sich aus ihr zum erstenmal ein Dämon: Judas. Rodewyk gelangte zur Überzeugung, Anneliese sei besessen. In einer Besprechung aller Priester, die Anneliese näher

kannten, entschloß man sich, nochmals an den Bischof heranzutreten und die Erlaubnis für den Exorzismus zu erbitten. Als Exorzisten schlug man den Salvatorianerpater Arnold Renz vor, der sich schon vorher damit einverstanden erklärt hatte, diese Aufgabe zu übernehmen. Am 16. 9. 1975 gab Bischof Stangl Pater Renz den erbetenen Auftrag. Dieser bereitete sich auf seine Aufgabe vor, indem er die Bücher Rodewyks und das Rituale Romanum studierte.
Anneliese war es unterdessen etwas besser gegangen. Ende September begannen die Exorzismen, die auf Tonband aufgenommen wurden. Anneliese reagierte heftig. Zeitweise brauchte es gewaltige Anstrengungen, sie festzuhalten. Im Lauf der Zeit meldeten sich sechs Dämonen: Judas, Luzifer, Nero, Kain, Fleischmann und Hitler. Fleischmann gab sich als Geist eines im 16. Jahrhundert verstorbenen Pfarrers aus, der in Alts Pfarre mit einer Konkubine gelebt und einen Mord begangen hatte. Außerdem war er dem Trunk ergeben gewesen. An diesen Fleischmann hatte sich Pfarrer Alt, der in der Zeit der Exorzismen wiederholt in Klingenberg war, in einem Gespräch erinnert, und Anneliese hatte plötzlich aufgebrüllt. Vierzehn Tage später erzählte Alt im Gespräch mit Anneliese von dem Schrecken, den ihm dieser Schrei eingejagt hatte. Wieder brüllte Anneliese. Am Abend dieses Tages meldete sich in Abwesenheit Alts beim Exorzismus der Dämon Fleischmann und gab Einzelheiten zum besten, die Alt aus einer Pfarrchronik bekannt waren, von denen Anneliese aber nichts wissen konnte.
Es gab lange Dialoge zwischen Pater Renz und den Dämonen. Sie versprachen, am 31. 10. aus Anneliese auszufahren. Dies schien auch tatsächlich zu geschehen. Am angegebenen Tag verließ einer nach dem anderen die Besessene, jeder sprach dabei, ingrimmig und widerwillig, die Worte, die Pater Renz als Zeichen des Ausfahrens festgesetzt hatte: „Gegrüßt seist du, Maria, voll der Gnade." Während die Versammelten nach einem dankbaren „Großer Gott, wir loben dich" ein Marienlied sangen, meldeten sich wieder Dämonen aus Anneliese.
Die Exorzismen zogen sich weiter hin, zunächst bis März 1976. Ein Dämon gab sich als Judas zu erkennen: Er sei sofort nach dem Ausfahren zurückgekehrt. Die Dämonen deuteten in der Folgezeit an,

sie wollten ausfahren, dürften aber nicht; es sei ihnen von Gott bzw. von Maria verboten. Im übrigen sprachen sie immer weniger. Anneliese hatte mittlerweile aus ihrer Lektüre die Idee in sich aufgenommen, daß die Besessenheit von Gott über sie als Sühne für die Sünden anderer Menschen verhängt sei und daß man deswegen mit Exorzismen dagegen letztlich nichts ausrichten könne. Eines Tages fuhr Anneliese von Würzburg zu Thea Hein, um sie zu bitten, sie möge unter allen Umständen verhindern, daß ein Arzt zu ihr käme.

Im Mai wurden die Exorzismen in Klingenberg wieder aufgenommen. Anneliese machte in rasender Geschwindigkeit Kniebeugen oder wiegte sich hin und her. Sie schrie manchmal in langgezogenen Tönen, aber sie sagte unter dem Exorzismus nichts mehr. Die Dämonen waren stumm geworden. Die Theorie von der Sühnebesessenheit hatte sich auch in ihrer Umgebung gefestigt. Anneliese raste, tobte, fügte sich Verletzungen zu. Zwischendurch war sie immer wieder Herr ihrer selbst. Einen Arzt lehnte sie entschieden ab. Am 30. Juni wurde der letzte Exorzismus durchgeführt. Anneliese hatte in den letzten Wochen kaum etwas gegessen und hatte Fieber. Am 1.7.1976 wurde sie von ihrer Mutter tot aufgefunden. Als Todesursache wurde totale Unterernährung und Lungenentzündung festgestellt.

Der Fall Klingenberg hatte ein gerichtliches Nachspiel. Am 21.4.1978 wurden die Eltern Annelieses sowie Pfarrer Alt und Pater Renz zu je 6 Monaten bedingter Freiheitsstrafe verurteilt, weil sie es unterlassen hätten, einen Arzt zu Rate zu ziehen, und deswegen durch Fahrlässigkeit am Tod Annelieses schuld seien.

III. Argumente gegen eine undifferenzierte Dämonisierung der Szene und der Besessenheit

1. Die „Teufelsbrille"

Die im vorigen Kapitel skizzierte Beurteilung der Szene durch traditionalistisch-katholische und fundamentalistisch-evangelische Kreise ist klar und eindeutig. Es herrscht die feste Überzeugung, man habe es in den verschiedenartigen Erscheinungen der Szene mehr oder weniger unmittelbar mit dem Teufel persönlich zu tun; er sei es, der hier einen konzentrischen Angriff auf die Kirche bzw. die Gemeinde der Jünger Jesu starte. Dieser Angriff habe geradezu apokalyptische Dimensionen. Manche Protestanten interpretieren ihn sogar als ein besonders in die Augen springendes Vorzeichen des nahenden Weltendes: In diese Richtung äußern sich etwa die einschlägigen Bücher von Kurt E. Koch.[1] Traditionalistisch ausgerichtete Katholiken sehen die satanische Attacke eher in Zusammenhang mit der von ihnen als Niedergang und tödliche Krise erlebten Entwicklung der Kirche nach dem II. Vatikanum. Weil es dem Teufel gelungen sei, den Glauben der Kirche massiv zu unterminieren, darum seien die Dämme, die ihm von ihr bisher entgegengesetzt worden seien, weitgehend geborsten. Dies ist z.B. der Tenor des Berichtes eines katholischen Theologen über den Satanismus in den USA. Am Schluß seines Überblicks erinnert er daran, daß bis vor nicht allzu langer Zeit am Schluß der Messe ein Gebet gegen Satan und die bösen Geister gesprochen worden sei: der sogenannte „Kleine Exorzismus". Der Theologe stellt die Frage: „Haben nicht seit der Abschaffung dieses Gebetes Satan und die bösen Geister in ungeahnter Weise in der Welt und in der Christenheit Urständ gefeiert und mit ihnen die sieben Hauptsünden und alles, was aus ihnen folgt?"[2] Die okkultistische Sturmflut ist in dieser

[1] K. E. Koch, Okkultes ABC, 119; 466—469; 720.
[2] Zit. n. G. Siegmund, Nachwort zu E. von Petersdorff, Daemonologie 1, 411.

Sicht nur eine der Konsequenzen dieses Dammbruches, allerdings eine sehr augenscheinliche und eindrucksvolle.
Menschen, die diese Grundüberzeugung haben, sind in ihr nur schwer zu erschüttern. Man hat manchmal fast den Eindruck, es sei ihnen ein starkes emotionales Anliegen, in allem Okkulten den Teufel zu sehen. Diese Interpretation, die Sicht durch die „Teufelsbrille“, scheint eine eigentümliche Anziehungskraft zu haben. Freilich hindert die Teufelsbrille die Menschen, genau hinzuschauen und die Wirklichkeit nüchtern und distanziert zu beurteilen. Was man durch die Teufelsbrille sieht, ist eben vor allem die zugleich schwarze, zugleich aber auch faszinierend schillernde Gestalt des Satans. In diesem „Licht“ aber kann nicht erkannt werden, daß es in der Mentalität der Szene, trotz ihrer chaotischen Destruktivität, vieles gibt, was menschlich nur allzu verständlich ist.
Ähnliches kann man auch von der Besessenheit sagen. Die hier vorliegenden Abläufe lassen sich psychologisch erklären und die Gefühlslage eines anscheinend Besessenen kann bis zu einem gewissen Grad nachempfunden werden. Sogar die ungewöhnlichen, „okkulten“ Phänomene, die beim Satanismus und bei der Besessenheit vorkommen können, lassen sich ein Stück weit wissenschaftlich erhellen.
In den folgenden Betrachtungen wird sich zeigen, daß der Schluß von den Phänomenen der Szene und der Besessenheit auf ein dahinterstehendes unmittelbares Eingreifen von bösen Geistern vorschnell ist. Erst nach diesen Klärungen ist es möglich, die Frage nach der Existenz und dem Wirken von Mächten oder Geistern der Bosheit in den rechten Perspektiven anzugehen.
Ausklammern werden wir in den Erörterungen dieses Kapitels den politisch-gesellschaftlich orientierten Feminismus. Man mag über die Art und Weise, wie von manchen der sich ihm zugehörig fühlenden Frauen seine Anliegen vertreten werden, geteilter Meinung sein; man mag auch anmerken, daß die heutigen Feministinnen den Hexenwahn der frühen Neuzeit nicht historisch angemessen interpretieren; es ist aber auf alle Fälle ein Kurzschluß, diese Gruppe der satanistischen Szene anzunähern, wie es fundamentalistische Protestanten ziemlich ausdrücklich tun und wie bisweilen

auch traditionalistische Katholiken empfinden. Fast habe ich den Eindruck, daß man in diesen Kreisen der sprachlichen Option mancher Feministinnen, sich Hexen zu nennen, auf den Leim gegangen ist. Es scheint hier etwas wie ein „magischer Kurzschluß" vorzuliegen: Wenn sich eine Frau eine Hexe nennt, ist sie wirklich eine, freilich nicht in dem Sinn, in dem sie selbst das Wort meint, sondern so, wie der es auffaßt, in dessen Kopf der magische Kurzschluß passiert. Für ihn ist das bloße Wort „Hexe" sozusagen dämonisch besetzt oder „okkult behaftet", wie sich protestantische Fundamentalisten ausdrücken. Allein der Gebrauch dieses Wortes führt in satanische Dimensionen. Die Teufelsbrille wirkt hier ganz besonders verzeichnend und macht blind dafür, daß der Feminismus Anliegen vertritt, die für die gesamte Menschheit von großer Bedeutung sind.

2. Zu einigen Grundhaltungen der Menschen aus der Szene: Interpretation und christliche Antwort

Satanistische Gruppen und Wicca-Zirkel haben deswegen eine so große Faszinationskraft, weil sie Tendenzen ansprechen, die in der menschlichen Existenz tief verwurzelt sind: das Streben des Menschen nach Autonomie und nach Erfüllung seines sexuellen Verlangens. Durch magische Mittel soll der Mensch instandgesetzt werden, diese Tendenzen in schrankenloser, absoluter Weise auszuleben. Das ist im folgenden zu zeigen, und zwar in den Unterabschnitten a), c) und e), während in b), d) und f) aufgewiesen wird, daß es hier – trotz aller Maßlosigkeit und aller pathologischen Verzerrungen – um Anliegen geht, die einen berechtigten Kern haben. Das eigentlich Böse in der Art und Weise der Verwirklichung dieser Anliegen kann einstweilen nur angedeutet werden; es wird erst im 5. Kapitel ausführlicher zur Sprache kommen.

a) Absolute Autonomie. „Tue, was du willst, das ist das ganze Gesetz." Dieser Satz Aleister Crowleys kennzeichnet die satanistische Bewegung. Wie wir gesehen haben, ist der Anspruch letztlich von

Crowleys satanistischem Pantheismus her zu verstehen, in dem der Mensch ja nur ein Moment des göttlich-satanischen absoluten Lebenswillens ist. In der Praxis führt diese Lehre zu einem schrankenlosen, *autonomistischen Individualismus*, der den einzelnen nun wirklich dazu inspiriert, alles zu tun, was er will. Wenn er es nur wahrhaft will, aus der Tiefe seines göttlichen Kernes heraus, dann ist er sich dessen gewiß, daß ihn nichts daran hindern darf, es auch zu tun. Keine religiöse oder politische Autorität oder Institution hat das Recht, es ihm zu verbieten, aber auch kein Einzelmensch darf dazwischentreten: „Zu jedem — Mann wie Frau — sage ich: ‚Du bist einzigartig und königlich, der Mittelpunkt des Universums. Wie sehr mein eigenes Denken für mich richtig sein mag, so kannst du mit einer anderen Denkweise genauso recht haben. Du kannst dein eigenes Lebensziel nur erreichen, indem du die Meinung anderer völlig außer acht läßt...‘ Meine Aufgabe ist..., jedem zur Erkenntnis und zum Genießen seiner eigenen Königlichkeit zu verhelfen, und mein sichtbarer Einfluß geht nicht über den Ratschlag hinaus, keine Beeinflussung zu dulden.“[3]
Während der gnostische Satanismus eines Crowley dahin tendiert, diese absolute Autonomie möglichst souverän zu leben und die entgegenstehenden Menschen, Gebote, Institutionen und Autoritäten einfach zu ignorieren, steht der Protestsatanismus in direktem Kampf gegen diese ihm entgegenstehenden Mächte. Seine Anhänger bleiben in ihrem Bann. Man spürt, daß sie sie nach wie vor fürchten; es ist aber auch deutlich, daß die Auflehnung gegen das Gefürchtete sie fasziniert und von ihnen geradezu rauschhaft genossen werden kann.
Die Rebellion des Protestsatanismus richtet sich freilich nicht nur gegen irdische Instanzen, sondern auch gegen Gott. Seine Anhänger gehen davon aus, daß er hinter allen beengenden Autoritäten steht und ihre Macht stützt. So gilt der Kampf letztlich ihm. Aus diesem Grund identifiziert man sich ja auch mit dem Satan, der ja als der Widersacher Gottes schlechthin gilt. Im Namen Satans kämpft man auch gegen alle ethischen Prinzipien, gegen das also,

[3] A. Crowley zit. n. W. Bauer in: J. Symonds, Aleister Crowley, 493.

was der Mensch in seinem Gewissen als Verpflichtung erfährt, für deren Erfüllung er Gott selbst Rechenschaft schuldet.
Im übrigen ist auch die angestrebte Souveränität des gnostischen Satanismus nicht wirklich erreichbar. Die bereits zitierten Prinzipien der „Church of Satan“ etwa zeigen deutlich auch hier die Mentalität der Auflehnung und des Protestes gegen alle überkommenen Normen. Letztlich befindet sich auch der gnostische Satanismus im Kampf gegen Gott, mag dies auch seinen pantheistischen Lehren, nach denen es ja keinen persönlichen Gott, gegen den man kämpfen könnte, gibt, widersprechen. Crowley selbst kam aus einer christlichen Familie, wo ihm freilich durch seine Eltern ein sehr beengendes Gottesbild vermittelt wurde. Er blieb sein ganzes Leben in dessen Bann und in zumindest unbewußtem Kampf dagegen: „In seiner Revolte gegen Gott und Eltern setzte er sich an die Stelle Gottes.“[4] Aus dieser Revolte heraus verwendet Crowley ja auch zur Bezeichnung des göttlich-absoluten Prinzips, mit dem er sich eins weiß, den Namen des Widersachers Gottes, nennt er sich als Gott Satan. Würde man dieses Moment der Revolte aus dem Satanismus eliminieren, dann würde es sich wohl nicht mehr um Satanismus handeln. Der Unterschied zwischen Protestsatanismus und gnostischem Satanismus ist eben nur relativ, die beiden gehen ineinander über.
Der Wicca-Kult hat ein anderes, maßvolleres Verständnis von Autonomie. Hier wird der Mensch dazu angeleitet, sich auf die Erfahrung der Göttin einzulassen, sich mit ihr eins zu fühlen, ja wahrzunehmen, daß er selbst die Göttin ist. Das führt zwar auch zur Vergöttlichung des Menschen und damit zur Behauptung seiner absoluten Autonomie. Konkret aber tendiert dieser autonome Mensch im Wicca-Kult doch zu einer mehr liebevollen und empathischen Grundhaltung, die er freilich als ganz und gar aus sich selbst, aus seinem göttlichen Grund stammend erlebt. Auch die Wicca-Hexe sagt letztlich: Ich kann ganz ich selbst sein, weil ich die Göttin bin. In diesem Sinn machen sich auch Wicca-Hexen das Crowleysche „Tue, was du willst“ zu eigen.[5]

[4] Ebd., 26.
[5] G. Graichen, Die neuen Hexen, 135—137.

Besonders geht es hier freilich, wie übrigens noch ausgeprägter bei den erwähnten magisch denkenden Gruppen der Frauenbewegung, um die *Autonomie der Frau.* Sie soll letztlich dadurch gesichert werden, daß die Gottheit nicht mit einseitig männlichen Zügen konzipiert wird, was man in diesen Kreisen der traditionellen christlichen Auffassung von Gott vorhält. Das jüdisch-christliche Gottesbild entspringe männlichem Denken, das dadurch die Herrschaft des Mannes über die Frau und männliche Herrschaft überhaupt legitimieren wolle. Dagegen steht die neue feministische Sicht der Gottheit als Göttin: „Die Göttin beherrscht nicht die Welt. Sie *ist* die Welt. Da sie in jedem von uns lebendig ist, kann jeder Mensch sie in seinem Inneren in all ihrer herrlichen Verschiedenheit erkennen. Sie rechtfertigt nicht die Herrschaft (gemeint ist wohl Beherrschung; d. Verf.) des einen Geschlechtes durch das andere..." Für die Frau heißt das: „Durch die Göttin können wir unsere Stärke entdecken, unseren Geist erleuchten, unseren Körper uns zu eigen machen und unsere Gefühle annehmen. Wir können aus unseren engen, einengenden Rollen ausbrechen und wir selbst werden."[6]

b) Freiheit vor Gott. Ich meine, daß der Protestsatanismus und der gnostische Satanismus ein Moment der Rebellion gegen Gott in sich schließen, der erstere offen, der letztere mehr unbewußt. So sehr man diese Rebellion als destruktiv und blasphemisch ablehnen muß, so sollte man sich doch fragen, ob es nicht Faktoren gibt, die sie zum Teil verständlich machen als eine — freilich grundsätzlich über das Ziel hinausschießende — Reaktion auf erfahrene Frustration.

Bisweilen ist da ein in manchen Menschen in der Kindheit entstandener Autoritätskomplex mit im Spiel. Leider muß man sagen, daß die Form, in der christlich-kirchliche Erziehung manchmal geschieht, derartige Komplexe hervorrufen kann. „Strenggläubige", dabei aber zutiefst unsichere Eltern erziehen ihre Kinder autoritär, ohne Rücksicht auf das Bedürfnis jedes Menschen nach Verstanden- und Geliebtwerden, nach freier Entfaltung. Weil diese

[6] Starhawk, Der Hexenkult, 22f.

Eltern im Namen Gottes auftreten und behaupten, sein Wille stehe hinter ihren Maßnahmen, entwickelt sich in den Kindern ein autoritäres Gottesbild mit tyrannischen Zügen. Oft verstärken entsprechende Erfahrungen mit gesellschaftlichen und kirchlichen Strukturen und Instanzen diesen Gotteskomplex. Der Satanismus ist ein extremer, oft ins Pathologische gehender Versuch, sich von diesen Autoritäten zu befreien, und zwar vor allem von Gott selbst, der als die Quelle aller Repression gesehen wird. Der Protestsatanist bleibt freilich ganz bewußt im Bann Gottes, gegen den er direkt kämpft, der gnostische Satanist unbewußt; auch er kann sich vom autoritären Gott letztlich nicht lösen und muß weiter gegen ihn angehen, obwohl er sagt, Satan sei Gott.

Beide Formen des Satanismus kämpfen freilich nicht gegen den wahren Gott, sondern gegen ein verzerrtes Gottesbild. Der wahre Gott ist ein Gott der Freiheit. Er hat aus seiner absoluten Freiheit heraus die menschliche Freiheit geschaffen. Sie ist zwar nicht absolut, wie die Satanisten glauben, sondern sie findet ihre Erfüllung in der Antwort auf Gottes Initiative: in der dankbaren Annahme und Verwirklichung des eigenen Daseins und im Sich-Beschenken-Lassen von Gottes Liebe, der selbst mit dem Menschen in Beziehung tritt und dabei die menschliche Freiheit bis in ihre letzte Tiefe anspricht und herausfordert: zum Wagnis, sich ganz loszulassen und im unergründlichen Geheimnis Gottes letzten Stand und letzte Erfüllung zu suchen. Wenn Gott den Menschen anspricht und der Mensch Gottes Wort versteht, dann erfährt sich der Mensch zwar zur Antwort verpflichtet, aber doch nicht gezwungen. Der von Gott dem Menschen zugemutete Einsatz seiner selbst führt nicht zum Selbstverlust, sondern zu höchster Selbstverwirklichung und höchster Freiheit. In dieser antwortenden Freiheit und nicht in absoluter Selbstherrlichkeit besteht die wahre menschliche Autonomie, die es aber wirklich gibt und die es verbietet, dem Menschen autoritär zu begegnen. Das widerspricht der Hochachtung, die der Schöpfer selbst der menschlichen Freiheit entgegenbringt.

Man darf wohl behaupten, daß man in der Kirche nicht immer so miteinander umgegangen ist, wie es dieser Glaubenswahrheit entsprechen würde. Auch die gesellschaftliche Unterdrückung der Freiheit, von der die menschliche Geschichte weithin geprägt ist, wurde von der Kirche oft nicht angeprangert, sondern geduldet oder gar mitgetragen. Heute hat sich diesbezüglich vieles zum Besseren verändert, freilich gibt es auch Rückschritte im Bewußtsein der Freiheit innerhalb der Kirche; vor allem fehlt noch immer ein waches und lebendiges Bewußtsein gegenüber Fehlern der Vergangenheit.

Auch im überzogenen Autonomieanspruch des Wicca-Kultes lebt ein berechtigtes Anliegen. Hier geht es um die Freiheit der Frau. Die Frau ist in der Tat durch die Geschichte hindurch bis heute in der vom Mann dominierten, patriarchalischen Gesellschaftsordnung noch nicht genügend zu Wort, geschweige denn zur ihr angemessenen Existenzform gekommen. Es ist kein Zweifel, daß diese Form der Repression auf das christliche Gottesbild abfärbte, daß ihr dadurch aber auch neue Nahrung gegeben wurde. In den vorwiegend männlichen Zügen des christlichen Gottesbildes spiegelt sich das Bewußtsein des Mannes, der Frau überlegen und unmittelbarer als sie Gottes Ebenbild zu sein. Das gilt auch noch bei jener subtilen Theorie, nach der Mann und Frau als Personen zwar von gleicher Würde sind, der Mann aber doch einen Vorrang hat, weil er durch seine zeugend-aktive Potenz Gott symbolisiert, während die Frau in ihrer Empfängnisfähigkeit die Schöpfung verkörpert. Auch hier bleibt es dabei, daß das Verhältnis der Geschlechter nach dem Prinzip Unterordnung—Überordnung gesehen wird und das Gottesbild so konzipiert ist, daß der übergeordnete Pol, der Mann, Gott schließlich doch ähnlicher ist als die Frau.

In der christlichen Theologie sollte jede Art der Annahme einer grundsätzlichen Hierarchie zwischen den Geschlechtern aufgegeben werden. Um das Verhältnis der Geschlechter recht zu bestimmen, werden wir uns wohl erst auf neue Erfahrungen einlassen und vor allem die Frauen einmal voll zu Wort kommen lassen müssen. Was aber das Gottesbild betrifft, so muß man vom Prinzip ausgehen, daß Gott das Urbild für Mann *und* Frau ist. Beide Geschlechter sind in je verschiedener Weise sein Ebenbild, die Frau anders, aber nicht weniger als der Mann.

c) Ausleben der Sexualität. Die satanistische Maxime des „Tue, was du willst" zielt in besonderer Weise auf das Ausleben der Sexualität. Die Sexualität ist eine Grundkraft, die den Menschen bis in seine Tiefe hinein prägt. Ihre Dimensionen gehen über ihre biologische Zweckbestimmung der Fruchtbarkeit hinaus. Sie verbindet zwei Menschen zu intimer, ihre ganze Person ins Spiel bringender Einheit, sie hat dabei aber auch ekstatischen Charakter; die sexuelle Erfahrung vermag die leibgeistige Natur des Menschen so in Schwingung zu setzen, wie sonst nichts auf der Welt, das Leben erreicht hier einen Höhepunkt an Intensität.

Das ekstatische Moment der Sexualität hat den Menschen seit jeher nicht nur fasziniert, sondern auch geängstigt, weil er sehr real die Gefahr verspürte, von ihr fortgerissen zu werden. Aus dieser Angst heraus resultieren die vielen oft strengen Tabus, mit denen die Völker die sexuelle Betätigung umgeben haben. Diese Tabus entwickelten sich aber oft zu großer Rigidität, so daß sie schließlich unerträglich und bisweilen radikal durchbrochen wurden, in manchen Völkern bei bestimmten Gelegenheiten sogar mit offizieller Erlaubnis, häufiger freilich von einzelnen Außenseitern oder auch von Gruppen, die gegen die gesellschaftlichen Normen rebellierten. Im Fall eines derartigen radikalen Tabubruches kommt es oft dazu, daß sich der Mensch voll und ganz in die sexuelle Ekstase stürzt; den hier durchbrechenden Urgewalten fällt die zwischenpersönliche, intime Dimension der Sexualität zum Opfer; es kommt zur Orgie mit ihrem entpersönlichenden Rausch.

Der Protestsatanismus trägt eindeutig den Charakter eines solchen Tabubruches, bei dem den Hütern des Tabus, der Gesellschaft, der Kirche, letztlich Gott selbst, die Entfesselung der Sexualität gleichsam abgetrotzt wird. Man wirft sich voll in sie hinein, läßt sich in den Rausch intensivst gesteigerten Lebens fallen und davon fortreißen. Dieser Rausch verbindet sich erlebnismäßig mit dem Bruch der tabuisierten Norm; er wird also eins mit der im vorigen Unterabschnitt besprochenen Tendenz nach absoluter Autonomie. Alle Kräfte des menschlichen Wesens, seines Geistes und seiner Natur, werden mobilisiert. Es geht um die Selbstverwirklichung in der ganzen Wucht einer gegen Gott gerichteten Ekstase.[7]

Beim gnostischen Satanismus geht man insofern noch einen Schritt weiter, als man die Sexualität letztlich vergöttlicht. Es wurde bereits festgestellt, daß Aleister Crowleys Pantheismus den vor allem als sexuell verstandenen Lebensdrang zu Gott-Satan macht. Man darf wohl mit Recht annehmen, daß der psychologische Hintergrund dieser Lehre der von Crowley von Kindheit an geführte Kampf gegen die Tabus ist, die ihm seine bigotten Eltern aufzuerlegen versuchten. Dieser Kampf führte zu einer totalen sexuellen Fixierung[8], die Crowleys religiöse Aussagen aus sich hervortreibt, wobei er die ihm zugeflossene neugnostische Tradition als strukturellen Rahmen benützte.

Bei Wicca und diesem Kult verwandten Hexengruppen bleibt immerhin der Zusammenhang zwischen Sexualität und zwischenpersönlicher Liebe im Blick. Sexualität „darf sich frei ausleben, solange die Liebe das leitende Prinzip ist“[9]. Freilich ist die Sexualität unmittelbarer Ausdruck der göttlichen Lebenskraft: „...alle Handlungen der Liebe und der Lust (sind) Rituale der Göttin“. Wie sehr auch beim Wicca-Kult die Sexualität ins Zentrum des Erlebens rücken kann, zeigt sich recht deutlich in Äußerungen mancher Anhänger. So meint zwar einer in einem Interview, für ihn sei freier Sex nur ein Teil seiner Hexen-Religion, aber das ganze Interview kreist immer wieder um dieses Thema, und die Fixierung des Betreffenden ist deutlich zu erkennen.[10]

Die Faszination durch die Sexualität ist wohl auch der Grund dafür, daß sie so häufig in den Dienst der Magie gestellt wird. Darüber wird im Unterabschnitt e) zu sprechen sein.

d) Integration der Sexualität. Die eben besprochenen Auswüchse der Szene sind wiederum eine zum Teil verständliche Reaktion auf Fehlentwicklungen innerhalb der christlichen Gesellschaft und Kirche.

[7] Vgl. K. J. Huysmans, Là-bas.
[8] Vgl. das Nachwort von W. Bauer in: J. Symonds, Aleister Crowley, 491f.
[9] Starhawk, Der Hexenkult, 28.
[10] Vgl. G. Graichen, Die neuen Hexen, 212—228.

Seit dem 2. Jahrhundert bewertete die Kirche die Sexualität in einer eher negativen Weise und belegte sie mit rigiden Tabus. Sexuelle Betätigung war nur geduldet, wenn sie im Dienst der Fruchtbarkeit stand. Daß sich in der Sexualität auch die Liebe zwischen Mann und Frau in besonderer Weise ausdrückt und verwirklicht, wurde in der katholischen Kirche erst im 20. Jahrhundert, im II. Vatikanum, anerkannt. Über den ekstatischen Charakter der Sexualität hört man von kirchlicher Seite bis heute nichts. Dieses negative Bild prägte durch die Jahrhunderte hindurch die Menschheit im Abendland. Viele Menschen sind heute noch in seinem Bann, auch die, die sich im Tabubruch dagegen auflehnen. Solange jemand gegen ein Tabu rebelliert, fühlt er sich davon noch betroffen und ihm irgendwie unterworfen. Auch die Satanisten erleben noch die Kraft des Tabus. Das ist der Grund, warum viele von ihnen von der Sexualität in obszönen Ausdrücken reden, in denen sie entwertet wird. Die negative Qualität des Verbotenen, ja Häßlichen, haftet ihren Praktiken gefühlsmäßig noch deutlich an, auch dann, wenn sie sich in scheinbar schrankenloser Freiheit in sie hineinstürzen. All dem kann nur eine Sicht der Sexualität entgegengesetzt werden, die positiv und realistisch zugleich ist. Nach christlicher Auffassung entspringen alle ihre Dimensionen dem Schöpferwillen Gottes, der den Menschen damit beschenken wollte. Nichts davon ist grundsätzlich verdächtig, alles freilich gefährdet, wie das Menschliche überhaupt. Bei der Sexualität kommt es darauf an, daß ihre Dimensionen nicht voneinander getrennt werden. Sieht man einzig und allein die Weitergabe des Lebens, ohne die zwischenpersönliche und ekstatische Dimension miteinzubeziehen, dann führt das zur Knebelung der spontanen sexuellen Impulse: das sexuelle Leben wird von Unterdrückung und Verdrängung gequält und deformiert. Auch die Aussparung des Ekstatischen allein rächt sich; in diesem Fall fehlt dem liebenden Einswerden der dynamisch-sprengende Charakter, es bleibt blaß und unerfüllt, was sogar zum Verwelken der persönlichen Liebe führen kann. Die Isolation der Ekstase wiederum führt zum Rausch, der den Menschen fortreißt, und persönliche Beziehungen und gesellschaftliche Ordnungen zerstört; auch der einzelne kann in seiner psychischen Stabilität schweren Schaden leiden. Aber auch die Hinordnung der Sexualität auf die Fruchtbarkeit darf aus dem Gesamtgefüge nicht grundsätzlich herausgebrochen werden. Die Ekstase des Einswerdens von Mann und Frau wird durch diese Funktion der Sexualität der Sphäre reiner Privatheit enthoben und auf die Familie hin geöffnet, dadurch aber auch bezogen auf das Ganze der menschlichen Gesellschaft.

Normen im Bereich der Sexualität sind also notwendig. Sie sollen aber den Menschen möglichst wenig in Form von bloßen Tabus eingehämmert, sondern in ihrer ethisch-humanen Vernünftigkeit und Angemessenheit nahegebracht werden. Vor allem aber geht es um die Vermittlung einer positiven Sicht der Sexualität, und zwar nicht nur im objektiven Inhalt der Lehre, sondern auch in einer Pastoral und Erziehung, die den Menschen zu einer dankbaren Annahme des großen Geschenkes der Sexualität ermutigen und auch alle Mies- und Angstmacherei der Vergangenheit deutlich und unmißverständlich revidieren.

e) Streben nach magischer Macht.[11] Die Magie kann in unserem Zusammenhang als jene Praxis bezeichnet werden, durch die der Mensch seinen autonomen Willen in die Tat umsetzt. Jeder Magier hält sich für mächtig und glaubt, daß seine Rituale und sogar seine bloßen Gedanken große Wirkungen in der Welt erzielen können. Der gnostische Satanist weiß sich letztlich identisch mit dem göttlich-satanischen Kern des Alls; konsequenterweise tendiert er zur Meinung, er könne eigentlich alles erreichen, was er wolle. Sein eigener Wille fällt mit der göttlich-satanischen Urenergie zusammen. Die magischen Rituale dienen letztlich dazu, in die Tiefen der Wirklichkeit hinabzusteigen und aus der Einheit mit der in ihnen erfahrenen Urenergie äußere Vorgänge in die gewünschte Richtung zu lenken. Dies geschieht nach ganz bestimmten Gesetzen, insbesondere nach dem Gesetz der Analogie: Was der Magier in seinem Ritual symbolisch ausführt, geschieht wirklich: Wenn er in eine Puppe Nadeln sticht, dann erleidet der Feind, den die Puppe symbolisiert, tatsächlich Schaden. Konsequent pantheistisch gedacht

[11] Vgl. G. Holtz, Die Faszination, 17—23.

wäre das so zu verdeutlichen: Die göttlich-satanische Urmacht ist im Willen des Magiers, der mit ihr identisch und sich dieser Identität bewußt geworden ist, unmittelbar wirksam; das, was er im Symbol ausdrückt, ist ihre eigene Tendenz. Ihr Wille und sein Wille fallen zusammen.

Nun ist es freilich so, daß schon die gnostischen Satanisten zumeist nicht konsequent pantheistisch denken, und der Protestsatanismus ist von seinem Ansatz her kein Pantheismus. In beiden Formen des Satanismus stellt man sich die satanische Macht immer auch in Form einzelner persönlicher böser Geister vor. In diesem Zusammenhang bedeutet dann das magische Ritual den Versuch, sich die Macht dieser Geistwesen zu Diensten zu machen und sie durch Beschwörung aufzufordern, die Wünsche des Magiers zu erfüllen. Dabei entsteht ein seltsam zweideutiges Verhältnis zwischen dem Magier und den Dämonen. Einerseits scheint der Magier davon überzeugt zu sein, daß er durch seine Rituale die Geister zum Gehorsam zu zwingen vermag, anderseits fürchtet er sich doch vor ihrer destruktiven Macht, die sich dem Zwang des Rituals entwinden kann. Eine magische Beschwörung eines Dämons wird vom Magier oft wie die Bändigung eines wilden Tieres erlebt.[12]

In vielen Traditionen über magische Praktiken findet man die Überzeugung, daß die Aktualisierung der Sexualität die Kraft des Magiers erhöhe. „Die Sexualität ganz allgemein und der Orgasmus im besonderen" versetzen den Menschen in einen Zustand, den ein Handbuch der Sexualmagie als „gnostische Trance" bzw. — in Anschluß an Aleister Crowley — als „eroto-komatose Luzidität"[13] bezeichnet. Die Ausdrücke machen deutlich, was gemeint ist: Es handelt sich um einen aus erotischem Erleben entstandenen, äußerlich dem Koma ähnlichen Trancezustand, in dem der Mensch aber in Wirklichkeit hellsichtig (luzid) ist und eintaucht in die Erfahrung (Gnosis) der letzten Zusammenhänge des Kosmos. Es geht also um eine Art mystisches Erleben des Grundes der Wirklichkeit. Von daher erhöht sich aber auch die Reichweite der magischen Kräfte,

12 Vgl. J. Symonds, Aleister Crowley, 135—153.

13 Handbuch der Sexualmagie. Praktische Wege zum eingeweihten Umgang mit den subtilen Kräften des Sexus, von Frater V. · ., D. · . Haar 1986, 27.

denn Sexualität vermittelt nicht nur eine „Gnosis“, eine Erfahrungserkenntnis dieser Tiefe, sondern auch eine Teilhabe an ihrer Energie. Mit einem Wort der Wicca-Religion, die diesbezüglich ähnlich denkt, wenn auch in einer weniger aggressiv-destruktiven Ausrichtung, hört sich das so an: „Beim Orgasmus haben wir Anteil an der Kraft, die die Sterne bewegt.“[14]

f) Selbstentfaltung im Vertrauen auf Gott. Zunächst sei darauf hingewiesen: Das magische Denken ist nach beachtenswerten Aussagen der Tiefenpsychologie eine normale Durchgangsstufe der psychischen Entwicklung des Menschen.[15] Viele überwinden diese Stufe nie ganz, sie bleibt in ihrem Unbewußten lebendig und zeigt sich keineswegs nur dort, wo ausdrücklich Magie betrieben wird. So ist auch die überkommene katholische Volksfrömmigkeit reich an magischen Zügen. Man kann kaum umhin zuzugeben, daß viele Katholiken zu Statuen, geweihten Gegenständen, Reliquien oder Lourdeswasser ein magisches Verhältnis haben. Sie verstehen sie nicht als Symbole, die den Glauben nähren und stärken sollen, sondern eher als mit unfehlbar wirksamer Energie „geladene“ Gegenstände. Auch die Sakramente werden nicht selten in magischer Weise mißverstanden: anstatt in ihnen besonders dichte Zeichen zu sehen, durch die sich Gott selbst in freier Huld dem Menschen zuwendet, faßt man sie als Mittel auf, durch die man Gott gleichsam in den Griff bekommen kann.

Es ist verständlich, daß Katholiken, die so empfinden, sich vom magischen Denken und besonders vom Satanismus und seiner Schwarzen Magie stark provoziert fühlen und massiv dagegen auftreten. Dahinter steht ein ins Unbewußte verdrängtes Erlebnis von Faszination. Es ist ja so, daß die Schwarze Magie am konsequentesten denkt und praktiziert, was in jeder Magie, auch in der des volkstümlichen Katholizismus, letztlich anvisiert ist: die übernatürlich garantierte Sicherung des Lebens vor allen Fährnissen und allem Widrigen und damit die Befreiung von der Daseinsangst so-

[14] Starhawk, Der Hexenkult, 289.

[15] W. Bitter, Die moderne Psychologie und die „geistigen“ Heilungen, in: ders. (Hg.), Magie und Wunder in der Heilkunde, Stuttgart 1959, 18—21.

wie die Stillung oft recht egozentrischer, ja manchmal sogar moralisch nicht vertretbarer Wünsche, z. B. nach Bestrafung von Menschen, mit denen man in Feindschaft lebt.
Bei aller notwendigen Kritik an der Magie gilt es auch hier, zu verstehen zu versuchen, warum Menschen in diese Haltung fallen, warum sie diese frühkindliche Tendenz, alles in der Hand haben zu wollen, nicht aufgeben können.
Der erste Grund dafür besteht oft darin, daß Menschen nie dahin gekommen sind, ihre natürlichen Kräfte zu entfalten; sie trauen sich nicht zu, in den Widrigkeiten des Lebens zu bestehen und an Schwierigkeiten zu wachsen. Aus dieser Erfahrung der Machtlosigkeit entspringen die Wünsche nach magischer Macht. Durch die Regression auf die kindliche Illusion, diese Macht zu besitzen, wird die Tatsache kompensiert, daß in bezug auf die realen Kräfte ein Defizit besteht. Auch in diesem Punkt herrscht in der kirchlichen Verkündigung eine gewisse Einseitigkeit. Man schärfte dem Menschen oft allzusehr ein, daß er seine Gefährdetheit und Ausgeliefertheit demütig anzunehmen habe und nichts dagegen unternehmen dürfe. Immer wieder kam es vor, daß neue Versuche von Wissenschaft und Technik als grundsätzliche Selbstüberhebung bewertet wurden. Demgegenüber ist zu betonen, daß es im Sinn Gottes ist, wenn der Mensch sich bemüht, sich auf der Welt zu orientieren und zu entfalten, wenn er überhaupt danach strebt, die in ihm angelegten Möglichkeiten zu verwirklichen und sich daran zu freuen. Wahre Demut besteht nicht darin, den menschlichen Fähigkeiten grundsätzlich zu mißtrauen, sondern sie ist die Haltung, die diese Fähigkeiten positiv einschätzt, aber nicht vergißt, daß sie von Gott gegeben sind und in seinem Sinn gebraucht werden sollen, geleitet von Prinzipien einer humanen Ethik.
Nun gibt es freilich Leiden und Katastrophen, gegen die der Mensch machtlos ist. Hier liegt ein zweiter Grund für die Regression auf magische Einstellungen. Aus der Angst vor derartigen Übeln und in dem Wunsch, ihnen um jeden Preis zu entrinnen, nehmen Menschen Zuflucht zur Magie. In ihr glauben sie ein Mittel in der Hand zu haben, das ihnen den Zugang zu übermenschlichen Mächten gibt, die sie vor solchen Bedrohungen schützen und

ihnen ihren Schrecken nehmen. Der Christ lebt demgegenüber aus der Überzeugung heraus, daß Gott in allen unvermeidlichen Leiden an seiner Seite steht, und erwartet sich davon die Fähigkeit, solche Leiden durchzustehen. Das setzt freilich eine lebendige Erfahrung der Güte und Vertrauenswürdigkeit Gottes voraus, eine Erfahrung, die durch alle entgegenstehenden Anfechtungen, die von Schmerz und Sinnlosigkeit herkommen, nicht aufgehoben wird. Darin, daß Menschen aus dieser Gewißheit leben, besteht das vornehmste Ziel der kirchlichen Verkündigung. Im 5. Kapitel dieses Buches soll noch einiges gesagt werden, das diesem Ziel vielleicht dienlich sein kann.

3. Zur inneren Verfassung der Besessenen

Bei der Beurteilung eines psychischen Ausnahmezustandes als Besessenheit gelten, wie gezeigt wurde, als Kriterien das zeitweise Auftreten einer Charakterveränderung, die so radikal ist, daß sie den Anschein erweckt, der Betroffene stünde im Bann einer fremden Person, sowie das „dämonische", d. h. blasphemische und destruktive, Verhalten dieser scheinbaren Fremdpersönlichkeit, die sich dadurch als von Bosheit beherrscht erweist. Auch hier verhindert die Teufelsbrille ein wirkliches Verstehen dessen, was vor sich geht.

a) Deutung des Persönlichkeitswechsels.[16] Zum Auftreten einer scheinbaren Fremdpersönlichkeit kann es bei Hysterie kommen. Menschen, die an einem derartigen neurotischen Komplex leiden, können unbewußt die verschiedensten psychischen und sogar körperlichen Zustände inszenieren, bis hin zu Scheinschwangerschaf-

[16] Vgl. J. Mischo/U. Niemann, Die Besessenheit der Anneliese Michel (Klingenberg) in interdisziplinärer Sicht, in: Zeitschrift für Parapsychologie und Grenzgebiete der Psychologie 25 (1983) 129—193; J. Mischo, Ein interdisziplinärer Zugang zum Thema „Dämonische Besessenheit", in: ebd. 27 (1985) 157—179; S. Madereсker, Dämonen. Die Besessenheit der Anneliese Michel im Licht der Analytischen Psychologie, Wels 1983; R. Bock, Der Teufel — ein verdrängter Komplex? Dämonologische Aspekte der Tiefenpsychologie, in: O. Schatz (Hg.), Parapsychologie. Ein Handbuch, Graz 1976, 157—185; K. P. Fischer / H. Schiedermair, Die Sache mit dem Teufel. Teufelsglaube und Besessenheit zwischen Wahn und Wirklichkeit, Frankfurt 1980.

ten. Es ist nicht verwunderlich, daß ein Hysteriker auch einen Besessenen „spielen“ kann, natürlich nicht im Sinn einer bewußten Simulation, sondern einer unbewußten Annahme dieser Rolle, manchmal mit dem — ebenfalls unbewußten — Ziel, sich interessant zu machen, im Mittelpunkt zu stehen. Derartige Fälle von „Besessenheit“ kommen oft vor, auch in der Kirchengeschichte tauchen immer wieder einschlägige Berichte auf[17], sie wurden zumeist auch schon früher von erfahrenen Menschen als nicht „echt“ eingeschätzt. Hier spürt man nämlich irgendwie die hysterische Simulation, manchmal scheint sogar der Betroffene selbst einen lichten Moment zu haben und zu ahnen, daß er nicht wirklich besessen ist.

Es kann sich freilich auch um eine tiefere Störung handeln, um eine Spaltung der Persönlichkeit, bei der der Mensch zwischen zwei oder mehreren psychischen Zuständen hin und her pendelt, die so verschieden sind, daß es den Anschein hat, daß nicht ein und derselbe Mensch vor einem steht, sondern eine jeweils verschiedene Persönlichkeit. Man nennt dieses Krankheitsbild *multiple Persönlichkeit.* Im folgenden ein bekannter Fall aus einer populären Darstellung zweier Psychiater:

Eine ernste, zurückhaltende, peinlich sauber, aber wenig modisch gekleidete, sich gewählt ausdrückende Frau, die „fast heiligenhaft“ wirkte, veränderte sich in der Sprechstunde total. Die zutage tretende „zweite Persönlichkeit“ war „eitel, infantil und ichbezogen. Ihre Sprache war grob, ordinär und unkultiviert. Bewegungen, Ausdrucksverhalten und Kleidung hatten stets etwas von einer sexuellen Herausforderung“. Später trat noch eine dritte „Persönlichkeit“ auf. Die abgespaltenen Anteile vertraten Antriebe und Wertsysteme, die nicht ins Bewußtsein der Frau paßten und ins Unbewußte verdrängt waren. Der Heilungsprozeß bestand darin, daß sich die Frau mit diesen Tendenzen ihres Wesens allmählich aussöhnte und sie in ihre Gesamtpersönlichkeit zu integrieren lernte.[18]

[17] Vgl. C. Ernst, Teufelsaustreibungen. Die Praxis der katholischen Kirche im 16. und 17. Jahrhundert, Bern 1972; romanhafte Darstellung: A. Huxley, Die Teufel von Loudun, München 1955.

[18] C. H. Thipgen/H. M. Cleckley, The Three Faces of Eve, London 1957, dargest. n. J. Mischo, „Dämonische Besessenheit“. Zur Psychologie irrationaler Reak-

Die Veranlagung für eine solche psychische Störung mag erblich sein. Auslösend sind traumatische Lebenserfahrungen, die in der frühen Kindheit gemacht werden und die das Kind nicht bewältigen kann. Zumeist werden solche Traumen dadurch hervorgerufen, daß die Eltern auf die Bedürfnisse des Kindes nicht eingehen und es in überstrenger, einseitig verbietender Weise erziehen. Besonders gravierend wirkt sich aus, wenn die Eltern in widersprüchlicher und für das Kind unverständlicher Weise zwischen Akzeptanz und Ablehnung schwanken. Unter solchen Umständen können schon in der frühen Kindheit erste Spaltungszustände entstehen. Mit der Zeit bildet sich eine übertrieben „brave" unterwürfige Normalpersönlichkeit heraus, die manchmal jäh abgelöst wird vom Durchbruch eines für gewöhnlich vom Bewußtsein abgespaltenen Bündels von Aggression und primitiver Triebhaftigkeit: Es wird das wirksam, was unter dem Einfluß des Verhaltens der Eltern unterdrückt, aber gerade dadurch verstärkt wird und allmählich immer destruktivere Züge annimmt. Die Spaltungstendenz, einmal in der Psyche etabliert, bleibt weiter wirksam. So ballt sich in einem oder auch in mehreren Komplexen alles zusammen, was die erstarkende Normalpersönlichkeit nicht ins Bewußtsein zuläßt. Bei gegebenem Anlaß, etwa in Situationen außergewöhnlicher Belastung oder besonderer Provokation, können derartige Komplexe offenbar werden. Sie treten ins Bewußtsein, reißen dort die Herrschaft mehr oder weniger total an sich und führen zu Entladungen ungebremster Aggression und zu primitiven anal-sexuellen Verhaltensweisen. Der Mensch benimmt sich in einer Art, die dem ihm gewöhnlich zukommenden Charakter so gänzlich entgegengesetzt ist, daß es den Anschein hat, daß sich seiner eine oder mehrere fremde Persönlichkeiten bemächtigt hätten. Bei einem religiösen Menschen treten immer auch widergöttliche, blasphemische Tendenzen auf: Kein Wunder, werden doch die in Erscheinung tretenden Triebkräfte von Kindheit an als von Gott verpönt erlebt und können sich deshalb nur in direktem Widerstand gegen Gott Bahn brechen. Wenn ein Mensch mit einer derartigen psychischen Struk-

tionen, in: W. Kasper / K. Lehmann (Hg.), Teufel—Dämonen—Besessenheit. Zur Wirklichkeit des Bösen, Mainz 1978, 123f.

tur in einem Milieu aufwächst, in dem ein intensiver Teufels- und Dämonenglaube lebendig ist, ist es auch leicht verständlich, daß die abgespaltenen und verdrängten Persönlichkeitsanteile die Rolle des Teufels oder anderer böser Geister annehmen. Wenn der Betroffene nämlich erlebt, daß er von einer unreinen, aggressiven und widergöttlichen Dynamik so überwältigt wird, daß sich sein einheitliches Ich-Leben spaltet, dann liegt es ja nahe, daß der „andere", der da in ihm auftaucht, als Dämon oder als Teufel selbst interpretiert wird.

Gegen die Annahme, die Besessenheit als religiös gefärbten Zustand von multipler Persönlichkeitsstörung zu deuten, scheint zu sprechen, daß dabei Vorgänge beobachtet werden können, die auf den ersten Blick gesehen die Grenzen des wissenschaftlich Erklärbaren sprengen, wie z. B. das Verstehen fremder Sprachen oder im Umkreis des Besessenen auftretende Spukphänomene. Über diesen Problemkomplex wird im nächsten Abschnitt zu reden sein. Ein anderes Argument gegen unsere These geht dahin, daß dem „Besessenen" durch einen Exorzismus, also durch eine Teufelsaustreibung, oft geholfen werden könne; das sei aber ein eindeutiger Beweis dafür, daß der Betroffene wirklich in der Gewalt von Dämonen sei, die eben nur durch den Exorzismus verjagt werden könnten. Diese Frage soll im folgenden Unterabschnitt zur Sprache kommen.

Zunächst ist aber noch etwas zur Besessenheit zu sagen. Nicht nur ihre Struktur als Persönlichkeitsspaltung ist erklärbar, ohne daß man auf dämonische Ursachen zurückgreifen müßte, auch der Inhalt des in ihr zum Ausdruck kommenden Protestes ist oft nichts weniger als teuflisch; die Kennzeichnung mit diesem Wort soll ja wohl andeuten, der Protest sei in einer Weise böse und widergöttlich, daß man ihn einem Menschen gar nicht mehr zutrauen könne. Wogegen protestieren die „Dämonen" nun wirklich? Nicht gegen den wahren Gott, der den Menschen bejaht, auch in seinem Streben nach Freiheit und Selbstverantwortung, auch in seiner Triebhaftigkeit, sondern gegen das dem Betroffenen von seinen Eltern und Erziehern vermittelte, oft enge und repressive Gottesbild, das für ihn selbst freilich den wahren Gott repräsentiert. Es ist hier ähnlich wie bei den Satanisten; nur führen diese ihren Kampf gegen alle von ihnen als unterdrückerisch erlebten Autoritäten und gegen das sie legitimierende Gottesbild gewollt und bewußt gesteuert, während die Besessenen gegen ihren Willen zu dieser Rebellion gegen Gott fortgerissen werden.

Für die Besessenen ginge es darum, daß sie erfahren, daß es *den* Gott, gegen den sie kämpfen, nicht gibt, und daß der Kampf gegen ihr verzerrtes Gottesbild berechtigt ist. Die psychischen Inhalte, die dabei aus ihrem Unbewußten hochkommen, mögen zwar in primitiver und destruktiver Form auftreten, trotzdem dürfen sie nicht einfach als dämonisch interpretiert werden. Durch eine solche Deutung wird es unmöglich, das positiv-aufbauende Moment in ihnen zu erkennen, aus dem destruktiven Zusammenhang herauszulösen und in die Gesamtpersönlichkeit einzubauen. Darin aber würde die Heilung von diesem Ausnahmezustand bestehen. Der Mensch müßte sich mit den abgespaltenen Dimensionen seiner Psyche, die sich in der „Besessenheit" in archaischer Gewalt Bahn brechen, aussöhnen und lernen, mit ihnen umzugehen, anstatt sie zu dämonisieren und so als nicht zu sich gehörig endgültig von sich abzuspalten, wodurch sie freilich immer chaotischer und destruktiver werden müssen.

b) Deutung des Exorzismus. Wie bereits erwähnt, kann der Exorzismus manchmal helfen. Das ist freilich kein Beweis, daß der Betroffene wirklich in der Hand von bösen Geistern war, die durch den Exorzismus vertrieben wurden. Für diesen Zusammenhang gibt es auch andere Erklärungen.

So mag es z. B. sein, daß ein psychisch belasteter Mensch dadurch, daß er plötzlich im Mittelpunkt der Aufmerksamkeit und Anteilnahme einer ganzen Gruppe und eines Seelsorgers steht, soviel an Zuwendung erfährt, daß dadurch seine abgespaltenen Persönlichkeitsanteile, die ja vor allem als Reaktion auf Frustrationen auftauchen, an Kraft verlieren und durch das Machtwort des Exorzisten zunächst unterdrückt werden. Verbleibt der Betroffene dann in einer für ihn wohltuenden Umgebung, dann kann sich allmählich ein Konsolidierungsprozeß vollziehen, in dem die wiederum abgespaltenen Triebkräfte vielleicht sogar teilweise in die Gesamtpersönlichkeit integriert werden können. Abgespaltene Aggressivität kann ihre Destruktivität ein wenig verlieren, wenn ein Mensch sich angenommen und geliebt erfährt. Zu bedenken ist auch die bis in die Tiefe des Unbewußten hineinwirkende Kraft des Glaubens, zu dem der Exorzist den Kranken unter Umständen inspiriert. Was in diesem Fall hilft, ist nicht der Exorzismus an sich, sondern die gläubige Zuversicht, auf deren Hintergrund er vollzogen wird. Der Kranke wird durch die Gewißheit der Liebe Gottes, die ihm auch bei einem Exorzismus aufgehen kann, von seiner psychischen Not, die er und der Exorzist unrichtigerweise als unmittelbar dämonisch verursacht interpretieren, teilweise oder ganz befreit.

Freilich darf man nicht übersehen, daß ein Exorzismus in vielen Fällen mehr schadet als nützt. Oft gewinnt durch den Kontakt zwischen dem Kranken und dem Exorzisten die „Besessenheit" erst ihre scharfen Konturen und setzt sich tiefer in der Psyche fest. Dies geschieht deshalb, weil der Exorzist ein fixes Bild vom zu erwartenden Verhalten der bösen Geister hat und dieses Bild in suggestiver Weise an den Betroffenen heranträgt. Er führt den Dialog mit den angeblichen Dämonen so, daß sich die abgespaltenen Persönlichkeitskomplexe des „Besessenen" auf ihre Rolle als Dämonen mehr und mehr einstellen können. Im Lauf vieler exorzistischer Sitzungen lernen sie dies immer perfekter, und der Exorzist wertet als Bestätigung für die Echtheit der Besessenheit, daß die Dämonen ein theologisch so richtiges Bild der kirchlichen Lehre zeichnen. Er übersieht dabei freilich, daß es sich hier um Inhalte handelt, die er selbst in den Kranken induziert hat.

So qualvoll für den Betroffenen seine Rolle auch ist — ist er doch ungeheuren Spannungen und Leiden ausgesetzt und verliert mehr und mehr den inneren Zusammenhalt seiner Psyche —, so hat er doch auch einen Gewinn von seinem Zustand. *Erstens* ist es ihm möglich, tief verdrängte Tendenzen seines Unbewußten wenigstens irgendwie auszuleben. Er selbst und seine Umgebung halten ja die primitiven triebhaften Ausbrüche für nicht von ihm kommend, sondern für Äußerungen des Teufels. Man nimmt nicht wahr, daß hier das Chaos in der Psyche des Betroffenen durchbricht, sondern meint, das Chaos sei von einer fremden Macht verursacht. So wird der Betroffene vom ganzen Vorgang völlig entlastet: mit ihm selbst hat er nichts zu tun. *Zweitens* gerät der „Besessene" in den Mittelpunkt der Aufmerksamkeit und Fürsorge einer Gruppe von Menschen und Seelsorgern. Weil die Besessenheit auch diese positive Seite hat, darum ist ein Exorzismus oft so lange erfolglos, bzw. die Kranken fallen immer wieder in ihre Zustände zurück. Unbewußt können sie sie nicht aufgeben, weil sich kein Weg auftut, wie sie mit ihren abgespaltenen Anteilen in einer produktiveren Weise fertig werden könnten als in der „Besessenheit", in der sie sie ausleben können und dabei sogar noch in der Achtung ihrer Umgebung steigen.

4. Parapsychologische Anmerkungen

Ich möchte nicht nur nicht ausschließen, sondern halte es für höchst wahrscheinlich, daß im Umkreis des Satanismus und des Wicca-Kultes sowie bei Besessenheitsfällen manchmal Erscheinungen auftreten, die wir heute als *paranormal* bezeichnen. Es handelt sich dabei um Vorgänge, die nach den Gesetzmäßigkeiten der klassischen Naturwissenschaften nicht erklärbar sind und die man deswegen auch heute noch vielfach auf Geister aus dem Jenseits, z.B. auch auf Dämonen, zurückführt.
Es gibt freilich heute eine Wissenschaft, die sich mit derartigen Vorgängen befaßt: Sie nennt sich für gewöhnlich *Parapsychologie.*
Von der Parapsychologie her kann man mit großer Wahrscheinlichkeit die Behauptung aufstellen, daß es paranormale Phänomene wirklich gibt: Die Parapsychologie verfügt nicht nur über reiche Sammlungen von gut beglaubigten Spontanfällen paranormaler Vorgänge, sondern hat deren Tatsächlichkeit auch experimentell nachweisen können. Mit vielen Parapsychologen darf man die Hypothese wagen, daß die paranormalen Phänomene zu einem großen Teil auf Tiefenkräfte der menschlichen Seele zurückgehen, die zwar nicht mit den für gewöhnlich als das Unbewußte bezeichne-

ten psychischen Dimensionen identisch sind, sich aber doch nur durch sie auswirken können.
Da ich das Thema der Bedeutung der parapsychologischen Forschung für die Interpretation von Satanismus und Besessenheit in dem bereits erwähnten Buch behandelt habe[19], möchte ich mich hier kurz fassen und auf einige Streiflichter beschränken.

a) Telepathische Phänomene. Ein paranormales Phänomen, das in unserem Zusammenhang häufig vorkommen dürfte, ist die *Telepathie* (= Fernfühlen), der unmittelbare Kontakt von Bewußtsein zu Bewußtsein.
Ich habe selbst einmal eine Zeitlang erlebt, daß ein anderer Mensch mit mir in telepathischem Kontakt war. Er träumte öfters von dem, was ich erlebte, und erfaßte dabei nicht nur in oft erstaunlich präziser Weise meine emotionale Situation, sondern auch kleine äußere Details meiner Erlebnisse. Das Ganze wurde schließlich so indiskret, daß ich den Kontakt abbrach. Soviel ich in Erfahrung bringen konnte, versiegten daraufhin die Träume.
Telepathie funktioniert nicht nur durch Träume hindurch, sondern auch im Wachzustand: telepathische Wahrnehmungen können in Ahnungen, plötzlichen Ideen, Intuitionen oder Visionen ins Bewußtsein dringen.
Telepathische Phänomene treffen wir manchmal bei der „Besessenheit" an, z. B. dann, wenn der Betroffene Weihwasser von gewöhnlichem Wasser unterscheiden kann. Er entnimmt in diesem Fall sein Wissen dem Bewußtsein dessen, der das Experiment macht. Ähnlich ist es beim Verstehen fremder Sprachen; der „Besessene" versteht zwar nicht die fremde Sprache selbst, aber er erfaßt telepathisch die Gedanken dessen, der ihn anredet. Auch die Tatsache, daß sich die angeblichen Dämonen so präzis auf die theologischen Lehren, die der Exorzist vertritt, einstellen, geht manchmal auf telepathische Kontakte zurück.
Im Fall Klingenberg läßt sich das plötzliche Auftreten des „Dämons" Fleischmann telepathisch erklären, da sich Pfarrer Alt in ei-

[19] Vgl. C. Weis, Begnadet, 13—35; 39—62; 82—84; 87 f. Dort noch weitere Literatur.

nem Gespräch mit Anneliese Michel an den verbrecherischen Priester, als dessen Geist sich dieser Dämon ausgab, erinnert hatte (Beisp. 5)[20].

Sogar das Sprechen einiger Worte in einer fremden Sprache kann auf Telepathie zurückgehen. Man braucht dazu nur annehmen, daß sich jemand eine bestimmte Aussage, die er erwartet, im Wortlaut lebendig vorstellt und daß diese Worte vom angeblich Besessenen telepathisch erfaßt und in etwa richtig nachgesprochen werden.

So kann z. B. verständlich gemacht werden, wie es möglich ist, daß jemand auf einen ihm auf russisch gesagten Bibelvers russisch antwortete, obwohl er diese Sprache nie gelernt hatte (Beisp. 3).

Es besteht nach diesen Überlegungen kein Anlaß, telepathische Erscheinungen bei Besessenheitsfällen auf dämonische Wesen zurückzuführen. Sie entspringen paranormalen Fähigkeiten und kommen als Indiz für das persönliche Wirken böser Geister nicht in Betracht.

b) Psychokinetische Phänomene. Mit dem Ausdruck *Psychokinese* bezeichnet die Parapsychologie Vorgänge, bei denen Menschen in einer wissenschaftlich nicht erklärbaren Weise einwirken auf Dinge der Körperwelt. Es handelt sich also um eine Art psychischer Fernwirkung. Daß es derartige Phänomene gibt, kann nicht nur als experimentell nachgewiesen gelten, sondern wurde auch schon oft von speziell begabten Menschen demonstriert.

Ein gutes Beispiel sind die Fähigkeiten Uri Gellers, der durch bloße Berührung Gabeln und Löffel verbiegen und stehengebliebene Uhren zum Gehen bringen kann. Während einer Sendung Uri Gellers im Fernsehen begann in der Wohnung einer mir bekannten Familie eine batteriebetriebene Küchenuhr, bei der allerdings gerade die Batterie fehlte, zu gehen. Sie ging ohne Batterie eine halbe Stunde lang.

Dieser letzte Fall ist ein Beispiel für unbewußt ausgelöste Psychokinese. Wahrscheinlich wurde nämlich das Gehen der Uhr dadurch

[20] Diese Verweise beziehen sich auf die Beispiele im 2. Kapitel, Abschnitt 2 c.

verursacht, daß in einem der Familienmitglieder durch die von der Fernsehsendung ausgehende Faszination psychokinetische Fähigkeiten stimuliert wurden, ohne daß der Betreffende es wußte.

Unbewußt ausgelöste Psychokinese liegt auch bei einer bestimmten Art von *Spukphänomenen* vor. Im folgenden ein Beispiel für einen derartigen Spuk; das Geschehen hat sich in Oberbayern ereignet.

„Es wurde an Fenster und Türen geklopft, Steine drangen in die Wohnung ein, nach den Aussagen zahlreicher Zeugen auch in geschlossene Räume. Gegenstände flogen durch die Räume, manchmal in anomaler Flugbahn, oder wurden irgendwo versteckt und tauchten später wieder auf. In den Hüten von Besuchern fanden sich plötzlich aufgeschlagene Eier, Wäsche kam aus den Schubladen, Puppen wurden entkleidet in sexuellen Positionen gefunden, Schuhe mit Wasser gefüllt... Am auffälligsten waren anscheinende Penetrationsphänomene. Als der Ortsgeistliche das Haus aussegnete, fiel in der geschlossenen Küche ein Stein von der Decke und blieb auf dem Vorsprung einer Kommode wie angeklebt liegen. Als der Priester den Stein aufhob, fühlte er sich warm an. Zeugen berichteten, daß aus einer geschlossenen Glasvitrine in der Küche Gegenstände herausgekommen und in der gegenüberliegenden Ecke des Raumes niedergefallen seien." Ein Rechtsanwalt, dem von solchen Penetrationsphänomenen berichtet wurde, „stellte zwei besonders häufig bewegte Gegenstände — zwei Fläschchen, die Parfüm und Tabletten enthielten — auf den Küchentisch, bat alle Bewohner, das Haus zu verlassen, schloß Fenster und Türen und ging selbst hinaus. Nach kurzer Zeit erschien die Parfümflasche in der Höhe des Daches außerhalb des Hauses und etwas später die Tablettenflasche, beide fielen nicht geradlinig, sondern im Zickzack."[21]

Dieser Spuk hatte wie viele andere von Parapsychologen beobachtete Spukphänomene die Eigentümlichkeit, daß das Außergewöhnliche nur dann passierte, wenn eine bestimmte Person zu Hause war; es handelte sich um ein dreizehnjähriges Mädchen. Geht man

[21] H. Bender, Spuk — Täuschungen und Tatsachen, in: E. Bauer/W. v. Lucadou (Hg.), Psi — was verbirgt sich dahinter? Wissenschaftler untersuchen parapsychologische Erscheinungen, Freiburg 1985, 135f.

davon aus, daß es Psychokinese gibt und daß alles Paranormale stark mit dem Unbewußten zusammenhängt, dann ist die Annahme, daß dieses Mädchen den Spuk unbewußt durch Psychokinese auslöste, sogar von einer gewissen Wahrscheinlichkeit. Spukauslöser sind zumeist Menschen, die unter starken inneren Spannungen stehen, oft handelt es sich um Jugendliche in der Pubertät. Es scheint, daß es dann, wenn sich die Spannungen in bestimmten Situationen steigern, zu Entladungen kommen kann, bei denen sich die inneren Konflikte in psychokinetischen Vorgängen symbolischen Ausdruck schaffen. Die Vorgänge tragen zumeist den Charakter des Protestes gegen die soziale Umwelt des Spukauslösers, in unserem Beispielsfall wurden offensichtlich auch sexuelle Spannungen manifest.
Spukphänomene wurden bei Besessenheit immer wieder beobachtet, und zwar ganz ähnliche wie die eben beschriebenen. Unter die Spukphänomene wäre auch die *Levitation* zu rechnen. Gemeint ist damit das Sich-Erheben des Körpers eines angeblich Besessenen vom Boden, wie es in unseren Fallberichten im Beisp. 2 erwähnt wird. Freilich kann gerade dieser Bericht nur wenig Glaubwürdigkeit beanspruchen, da das Buch, aus dem er zitiert ist, jede kritische Distanz zu seinem dargestellten Material vermissen läßt. Aber sei dem wie immer; von der Parapsychologie her ist ein derartiges Phänomen zumindest nicht ganz ausgeschlossen.
Hält man Psychokinese überhaupt für möglich, dann kann man nicht völlig ausschließen, daß sie auch bei magischen Praktiken vorkommen kann.
Ein Beispiel dafür sah ich einmal in einer Filmdokumentation. Ich kann mich zwar für ihre Glaubwürdigkeit nicht verbürgen, halte sie aber doch, was die gezeigten Fakten betrifft, für gegeben. Die Autoren des Films waren, soweit mir bekannt ist, um Seriosität bemüht. Der Film zeigt, wie eine Hexe ein schwarzmagisches Ritual ausführt. Im Auftrag einer Familie versenkt sie in eine Puppe, die eine Feindin dieser Familie symbolisiert, Nadeln. Durch den Tip eines Jesuitenpaters bekam das Filmteam Kontakt mit der Frau, auf die das Ritual zielte. In jener Nacht begann sie, an Schmerzen zu leiden. Im Spital stellte man, übrigens nicht zum erstenmal, einen

rätselhaften Befund fest. Im Körper der Frau befanden sich Nadeln, von denen man sich nicht erklären konnte, wie sie hineingekommen waren. Der behandelnde Arzt erklärte vor laufender Kamera, es sei ganz sicher, daß es auf keinen Fall auf künstlichem Weg geschehen sein könne.

Ich behaupte nun nicht, daß die Parapsychologie in der Lage sei, einen solchen Vorgang plausibel zu „erklären". Immerhin stellte sie aber bei Spukphänomenen eine Erscheinung fest, die zum hier Berichteten Parallelen aufweist: Auch dort wurde beobachtet, daß Materie allem Anschein nach Materie durchdringen kann, und zwar unter dem Einfluß psychokinetischer Energien, die vom Spukauslöser ausgehen bzw. von ihm eingesetzt werden. Hier mag ein analoges Phänomen vorliegen — immer vorausgesetzt, daß die Dokumentation wirklich authentisch ist.

Auch die Möglichkeit paranormaler Beeinflussung von Lebewesen ist gegeben.

Sehr eindrucksvoll ist das Resultat, das ein Mediziner erzielte, der seine Versuchspersonen dazu angehalten hatte, das Wachstum von Krankheitserregern durch mentale Konzentration zu hemmen. Von den 39 Tests, die „unter scharf kontrollierten Bedingungen" durchgeführt wurden, „erwiesen sich 33 als Treffer und nur 3 als Versager, während 3 als unentschieden angesehen wurden"[22]. Besonders auffällig verlief eine Reihe von Experimenten, mit Äther betäubte Mäuse paranormal zu beeinflussen. Verschiedene Personen versuchten in mehreren Durchgängen mit je 24 Einzelversuchen, eines von zwei bewußtlosen Tieren durch bloße Konzentration von einem Nebenraum aus zum Erwachen zu bringen. Vier Versuchspersonen erwiesen sich als begabt; die beste brachte es auf im Durchschnitt 19 erfolgreiche Versuche.[23]

Derartige Experimente zeigen, daß man die Berichte über besondere Heilkräfte, die manchen Menschen zu eigen sein sollen, nicht von vornherein in Bausch und Bogen abtun kann — bei aller not-

[22] L. E. Rhine, PSI — was ist das? Eine Einführung in die Denk- und Arbeitsweise der Parapsychologie, München ^{2}1982, 177.
[23] Ebd., 183—186.

wendigen Skepsis. So mögen auch in der Szene manchmal magische Heilrituale paranormale Heilungen bewirken können. Sowohl die „Schwarze" als auch die „Weiße" Magie können manchmal paranormale Folgen haben. Die magische Einstellung scheint sogar eine günstige Voraussetzung für derartige Effekte zu sein: Sie stimuliert offenbar unbewußte Schichten im Menschen, die mit eventuell vorhandenen paranormalen Begabungen eng verbunden sind. Unsere Überlegungen zeigen freilich, daß kein Anlaß besteht, durch solche Vorgänge das magische Weltbild für bekräftigt zu halten. In ihnen manifestieren sich weder Dämonen, wie die Satanisten annehmen, noch die Große Göttin im Herzen der Dinge, wie der Wicca-Kult glaubt. Paranormale Kräfte sind zwar noch weithin unerkannt und geheimnisvoll und werden es vielleicht noch lange oder für immer bleiben; das ist jedoch kein Anlaß, sie magisch zu deuten und auf numinose oder dämonische Wesen oder Kräfte zurückzuführen.

5. Zu den Fallbeispielen für „Besessenheit"

1. Alle fünf Berichte spielen in einem Milieu, in dem eine fraglose Überzeugung von der Möglichkeit dämonischer Besessenheit gegeben war und Ausnahmezustände deswegen leicht als Besessenheit gedeutet werden konnten.
2. Zum Teil geht aus den Berichten hervor, daß die angeblich Besessenen schon von Kindheit an in dieser Überzeugung aufgewachsen sind (Beisp. 4 u. 5, vielleicht auch 1 u. 2), was aus tiefenpsychologischer Sicht ihre besonders starke Verwurzelung im Unbewußten zur Folge hat, die oft auch dann noch bleibt, wenn sich der betreffende Mensch bewußt davon abwendet.
3. Die Seelsorger bzw. Exorzisten, die die angeblich Besessenen betreuten, messen in allen Beispielen tiefenpsychologischen Fragestellungen für das Verstehen der Ausnahmezustände keine oder jedenfalls nicht die notwendige Bedeutung bei. Das psychiatrische Konzept der multiplen Persönlichkeit taucht als mögliche Erklärung derartiger Zustände nicht auf.

4. Ebensowenig verstehen die Seelsorger, daß das von ihnen gezeichnete Gottesbild, das von autoritärem Fundamentalismus bzw. ebenso autoritärem Traditionalismus geprägt ist, repressive Züge trägt und daß die unbewußte Auflehnung dagegen verständlich ist und sogar eine irgendwie gesunde Rebellion des Unbewußten darstellt.

5. Die Seelsorger übersehen völlig den suggestiven Einfluß, den sie im Verein mit der sie umgebenden Glaubensgemeinschaft auf die angeblich Besessenen und ihr Erleben ihres Zustandes ausüben. Sie lassen diesbezüglich jede Vorsicht vermissen.

6. Sie kennen auch nicht die parapsychologischen Erklärungsmöglichkeiten außergewöhnlicher Phänomene (Beisp. 1, 2 u. 5), bzw. sie geben ihnen nicht den entsprechenden Stellenwert (Beisp. 3 u. 4).

7. Sie nehmen die heutige Diskussion um die theologische Problematik des Teufels und der Dämonen nicht zur Kenntnis und sehen in dieser Diskussion vor allem die Gefahr des Liberalismus, der wesentliche Dimensionen des biblischen Zeugnisses preiszugeben in Gefahr sei.

IV. Biblische Perspektiven

Die Ausführungen des vorigen Kapitels mögen in manchem Leser die Frage provoziert haben, wie sich die dort entwickelte Sicht der Besessenheit zu den Aussagen der Bibel, insbesondere zu der in den Evangelien bezeugten Lehre und Praxis Jesu verhalte. Jesus hat doch ohne Zweifel in den Exorzismen einen Schwerpunkt seines Wirkens gesehen und diese als buchstäblich zu verstehende Vertreibung personhafter böser Geister verstanden. Nun führt aber die in diesem Buch entwickelte Auffassung zur kaum vermeidbaren Konsequenz, daß sich auch die von Jesus exorzierten Menschen in psychischen Ausnahmezuständen befunden haben, die man aus heutiger Sicht nicht für von solchen Geistern hervorgerufen halten darf, da man sie in ähnlicher Weise erklären kann wie die bisher dargestellten Fälle von Besessenheit. Wir scheinen also in einen Widerspruch zur Bibel geraten zu sein. Ähnlich, wenn auch nicht so deutlich, ist die Sachlage bei der Beurteilung der Szene. Mag auch in der Bibel kaum von Vorgängen die Rede sein, die dem, was in heutigen Satans- und Hexenzirkeln vorgeht, vergleichbar sind, so finden sich in ihr doch ganz klare Stellen, in denen davor gewarnt wird, sich dem Bann von Mächten oder Dämonen auszusetzen, womit Geistwesen gemeint sind, die den Menschen in seinem Glauben gefährden und zum Abfall von Gott verführen.
In diesem Kapitel sollen die einschlägigen Aussagen der Bibel kurz dargestellt werden.[1] Im letzten Kapitel erfolgt dann der Versuch, sie im Zusammenhang mit dem bisher Ausgeführten aus heutiger Sicht zu deuten.

[1] Vgl. H. Haag, Dämonen und Satan im Alten Testament, in: ders., Teufelsglaube, 141—269; M. Limbeck, Satan und das Böse im Neuen Testament, ebd., 271—388; K. Kertelge, Teufel, Dämonen, Exorzismen in biblischer Sicht, in: W. Kasper/K. Lehmann (Hg.), Teufel, 9—36; R. Schnackenburg, Das Problem des Bösen in der Bibel, in: ders. (Hg.), Die Macht des Bösen und der Glaube der Kirche, Düsseldorf 1979, 11—32; H. Schlier, Mächte und Gewalten im Neuen Testament, Freiburg ^{3}1963.

1. *Alttestamentliche und apokryphe Aussagen über Satan und Dämonen*

Es ist davon auszugehen, daß zwischen dem Satan oder Teufel einerseits und den Dämonen anderseits insofern zu unterscheiden ist, als es sich um Vorstellungen unterschiedlichen Inhalts und unterschiedlicher Herkunft handelt.

Die Gestalt des *Satans* kommt erst in relativ spät verfaßten Schriften des Alten Testamentes vor. Das Wort bedeutet auf deutsch „Widersacher". Zum erstenmal hören wir von ihm Ende des 6. Jahrhunderts v. Chr. Sach 3,1—7, wo er die Rolle eines himmlischen Anklägers der Menschen spielt. Etwas später wurde das Buch Ijob niedergeschrieben, in dem Satan im Prolog auftritt und sich von Gott ausbittet, Ijob versuchen zu dürfen. Satan gehört hier zu den „Gottessöhnen", den „Engeln", dem himmlischen Hofstaat Gottes.[2] Die Vorstellung derartiger Geistwesen geht darauf zurück, daß die Götter der kanaanäischen Umwelt Israels von Israel zu Gott unterworfenen Geistern depotenziert wurden. Obwohl der Satan von seiner ersten Erwähnung in der Bibel an wenig menschenfreundliche Züge trägt, ist er zunächst nicht als jenes ganz und gar böse Wesen gedacht, als das er uns von Kindheit an dargestellt wurde. Sein Bild entwickelte sich freilich mehr und mehr in diese Richtung. 1 Chr 21,1 verführt der Satan den König David zu einer sündhaften Tat, zur Zählung des Volkes gegen den Willen Gottes. Nach Weish 2,24, 1. Jahrhundert v. Chr., ist der Neid des Teufels der Grund dafür, daß der Tod in die Welt kam; das hier für Satan verwendete griechische Wort *diábolos,* von dem das deutsche Wort „Teufel" kommt, bedeutet wörtlich „Durcheinanderwerfer". Hier ist der Satan bereits so ähnlich gesehen wie in der neutestamentlichen und kirchlichen Zeit. Hier ist auch die Gleichsetzung erfolgt zwischen dem Satan und der Paradiesesschlange, durch die die Menschen am Anfang ihrer Geschichte zur Sünde verführt worden sind, eine Gleichsetzung, an die der Autor von Gen 3 noch nicht gedacht hat. Unser kurzer Überblick zeigt, wie eine Engelsgestalt, „ursprüng-

[2] R. Schnackenburg, Das Problem, 27.

lich gleichsam ein ‚Funktionär' Gottes"[3], allmählich den Charakter eines grundsätzlich menschenfeindlichen und gottwidrigen Wesens bekommt, das den Menschen versucht und zum Bösen verleiten will.

Die Annahme der Existenz von *Dämonen*, die als böse, den Menschen schädigende Geister gedacht werden, tritt zwar bereits in älteren Schichten des Alten Testamentes auf, spielt aber eine untergeordnete Rolle. Im Zentrum der alttestamentlichen Schriften steht Jahwe. Er ist der Gott Israels. Ihn allein soll das Volk verehren. Ja, mehr und mehr wird klar, daß er der einzig existierende Gott überhaupt ist. Von ihm kommt alles, was den Menschen trifft, das Gute und auch das Böse. Neben ihm haben andere übernatürliche Wesen zunächst keinen Platz. Erst unter dem Einfluß der vielfältigen Dämonenvorstellungen der orientalischen Religionen seit der Zeit des babylonischen Exils beginnt der Dämonenglaube auch in Israel, sich zu entfalten, ja, man muß sagen, zu wuchern. In den apokryphen Schriften aus den letzten Jahrhunderten vor der Zeitenwende finden sich die verschiedensten, teilweise recht unklaren und abstrusen Anschauungen über den Ursprung, die Wesensart und die Sünde der Dämonen.

Ihr Wirken dachte man sich als sehr weit- und tiefgehend: „Die Dämonen sind die Schädiger und Verderber schlechthin...Besonders im sexuellen Bereich gefährden und verunreinigen sie den Menschen...Krankheiten des Leibes und des Geistes...und vor allem der Tod sind ihr Werk...; die Berührung mit Leichen und Aas macht ‚unrein'...Dabei ist die Unreinheit durch Kontakt mit Toten genauso dämonengewirkt wie die ‚Besessenheit' der Geisteskranken...; Reinigung...gilt als Exorzismus. Die Heilungen Kranker und Besessener bestehen im Austreiben der Krankheitsdämonen..."[4]

Die Funktionen des Satans und der Dämonen unterscheiden sich also insofern, als Satan als Versucher und Verführer zur Sünde gilt, während das Wirken der Dämonen Schädigungen der menschli-

[3] K. Kertelge, Teufel, 14.

[4] O. Böcher, in: H. Balz/G. Schneider (Hg.), Exegetisches Wörterbuch zum Neuen Testament, Bd. 1, Stuttgart 1980, 650; vgl. auch W. C. van Dam, Dämonen, 16—30.

chen Integrität und Gesundheit zur Folge hat. Der Satan will die Wahlfreiheit des Menschen so beeinflussen, daß sie sich von Gott ab- und ihm zuwendet, die Dämonen schränken die Freiheit ein, im Extremfall der Besessenheit drängen sie sie völlig zur Seite, um ihr eigenes Wollen an ihre Stelle zu setzen. Diese Unterscheidung wird in den Apokryphen freilich nicht strikt durchgeführt. Dort werden auch Dämonen Satane genannt und können zur Sünde verführen, und ihr Heer hat einen Anführer, der mit dem alttestamentlichen Satan identifiziert wird. Zwischen dem Satanischen und dem Dämonischen besteht trotz der Unterschiedenheit und der verschiedenen historischen Wurzeln der Vorstellungen ein qualitativer Zusammenhang, auf den noch näher einzugehen sein wird.

2. *Die bösen Geister in der Botschaft und im Wirken Jesu*

a) Jesus und der Satan. Die Gestalt des Satans befindet sich nicht im Zentrum der Botschaft Jesu vom Reich Gottes. Satan ist aber für Jesus auch nicht nur eine Randfigur; Jesus rechnete vielmehr mit der Macht des Widersachers, die er allem Anschein nach selbstverständlich voraussetzte, mehr noch, der er sich selbst ausgesetzt wußte. Ein wichtiges Zeugnis dafür findet sich in den Erzählungen der Evangelien von seiner Versuchung (Mt 4,1—11; Mk 1,12f.; Lk 4,1—13). Die Bibelwissenschaft ist heute freilich zurückhaltend in der Bestimmung des geschichtlichen Gehaltes dieser Perikopen.[5] Es handelt sich wohl nicht um auf authentische Informationen zurückgehende Berichte von datierbaren Erlebnissen Jesu, sondern eher um in Erzählungen gekleidete theologische Aussagen über die Heilsbedeutsamkeit seiner Person. Es ist also eher unwahrscheinlich, wenn auch nicht auszuschließen, daß Jesus die Versuchungen in der Form erlebt hat, wie sie von Matthäus und Lukas, in verschiedener Akzentsetzung, beschrieben werden, und daß er bei

[5] Vgl. J. Gnilka, Das Matthäusevangelium, 1. Teil, Freiburg 1986, 82—93; R. Pesch, Das Markusevangelium, 1. Teil, Freiburg 1976, 94—100; H. Schürmann, Das Lukasevangelium, 1. Teil, Freiburg 1969, 204—220.

dieser Gelegenheit den Satan visionär geschaut hat. Im Kern wurzeln freilich diese Erzählungen und ihre theologischen Intentionen doch in der Geschichte: Jesus hat sich in seinem Leben wirklich, wohl immer wieder, als versucht erfahren (vgl. Lk 22,28). Er hat den übermächtigen Sog gespürt, der ihn von der vertrauensvollen Offenheit für seinen himmlischen Vater und der gänzlichen Ausrichtung auf dessen Willen wegziehen wollte: durch Mißbrauch seiner Wundermacht, um sich aus persönlicher Notlage zu befreien (vgl. Mt 4,3; vgl. auch Mt 27,39—44); durch die Provokation des Eingreifens seines Vaters, um ihn auf die Probe zu stellen (vgl. Mt 4,5f.; vgl. auch Mt 12,38); durch völligen Abfall vom Vater und Versinken in den Rausch irdischer Macht (vgl. Mt 4,8f.; vgl. auch Joh 6,15). Die Erfahrung der Versuchbarkeit ließ Jesus in besonderer Weise teilnehmen am Los der Menschen, und er kann aus ihr heraus mitfühlen mit deren Schwäche (vgl. Hebr 4,15). In den Versuchungen aber sah sich Jesus mit der Macht des Satans konfrontiert, in welcher Form immer er das auch erfahren haben mag.

Dies zeigt sich besonders deutlich in der Zurückweisung des Petrus, als dieser ihn beiseite nahm, um ihn vom Leiden abzuhalten (vgl. Mk 8,31—33). Das scharfe Wort Jesu: „Weg mit dir, Satan!" ist wohl kaum in seiner Tiefe erfaßt, wenn man es bloß in dem Sinn deuten wollte, daß allein Petrus als Widersacher bezeichnet würde und Jesus nicht den hintergründigen „Widersacher" an sich herantreten gefühlt hätte, der ihn von der Erfüllung des Willens Gottes abhalten wollte.

Jesus sah aber auch den bereits erwähnten Zusammenhang zwischen dem Wirken Satans und dem der Dämonen. Dies zeigt sich im Streitgespräch mit den Pharisäern, das Jesus in Anschluß an einen Exorzismus führt (vgl. Mt 12,23—31; Mk 3,22—30; Lk 11,14—23). Ich kann hier nicht auf die schwierigen Probleme eingehen, die die betreffenden Perikopen der Evangelien aufwerfen.[6] Klar ist jedenfalls, daß Jesus in der Besessenheit eines Menschen auch ein satanisches Element ortet. Daß es derartige Zustände gibt, daß die Dämonen solche Macht haben, ist ein Zeichen des „Reiches

[6] Vgl. M. Limbeck, Satan, 294—303; J. Gnilka, Das Matthäusevangelium, 454—462; R. Pesch, Das Markusevangelium, 213—221.

Satans“, seiner Herrschaft in dieser Welt. Die Dämonen stehen irgendwie im Dienste dieser Herrschaft, eine Vorstellung, die im Judentum bereits vorgegeben ist. Wenn Jesus durch seine Exorzismen die Dämonen vertreibt, dann bedeutet das dementsprechend auch eine Zurückdrängung der Macht Satans: Er, der „Starke“, wird gefesselt, der „Stärkere“ dringt in sein Haus ein, um es auszuplündern (vgl. Mk 3,27).

b) Jesus als Exorzist. Jesu exorzistisches Wirken nimmt einen breiten Raum in der Berichterstattung der synoptischen Evangelien ein. Nach ihrem Zeugnis hat er vielen Menschen, die man als Besessene zu ihm brachte, dadurch geholfen, daß er an ihnen einen Exorzismus vornahm, d. h. aus ihnen Dämonen — häufig kommt auch die Bezeichnung „unreine Geister“ vor — austrieb.
Welche Zustände hat nun Jesus als Besessenheit eingeschätzt?
1. Soweit sich nach den spärlichen Andeutungen der Evangelien ein Bild machen läßt, lagen zumeist Symptombilder vor, bei denen man heute auf psychische, psychosomatische oder auch organische Krankheiten schließen würde. Eine nähere Diagnose läßt sich freilich nicht stellen, dazu sind die Angaben doch zu vage; so spricht z. B. Mt 9,33f. einfach von einem Stummen, Mt 12,22 von einem, der blind und stumm war. Am ehesten scheint eine genauere Bestimmung bei Mk 9,14—19 möglich: Hier sprechen die Anzeichen deutlich für Epilepsie. Im allgemeinen hat es den Anschein, daß die Betroffenen an Affektionen litten, die vor allem ihre psychische Selbstverfügung beeinträchtigten oder überhaupt ausschalteten. Sie schienen im Bann einer fremden Macht zu stehen, eben des Dämons, den Jesus anfuhr und vertrieb.
2. Die Menschen, die Jesus exorzierte, scheinen manchmal über paranormale Fähigkeiten verfügt zu haben, so etwa, wenn sie das Geheimnis Jesu erkannten (vgl. Mk 1,24; 5,6). Es ist freilich auch denkbar, daß es sich hier um das intuitive Erfassen der Ausstrahlung Jesu handelte, ohne daß man Telepathie annehmen müßte. Nicht zu vergessen ist auch, daß uns die Exegese davor warnt, alle Züge der evangelischen Perikopen unbesehen als historisch zu nehmen.

3. Zwischen „normalen" Krankheiten und Besessenheit sind die Grenzen nicht immer fest zu ziehen. Lk 4,39 gebietet Jesus dem Fieber zu weichen, vielleicht ein Indiz dafür, daß als Krankheitsursache ein Dämon angenommen wird, der bei der Heilung vertrieben werden muß. Lk 13,10—13 wird eine Krankheit, Verkrümmung des Rückens, direkt auf das Wirken eines Dämons zurückgeführt (dieser wird 13,16 mit dem Satan in Verbindung gebracht oder gar identifiziert), die Heilung geschieht aber dennoch durch Handauflegung und nicht durch Exorzismus. In der Perikope Mk 1,40—45, einer Heilungsgeschichte, schimmern Spuren eines Exorzismus durch: der Zorn Jesu, von dem 1,41 in der wohl ursprünglichen Lesart die Rede ist, sowie der Satz 1,43 („...er fuhr ihn an und trieb ihn aus", wörtliche Übersetzung) scheinen sich auf einen Dämon zu beziehen.[7]

4. Es fällt weiterhin auf, daß Jesus alle Menschen, die von seinen Zeitgenossen für besessen gehalten und deswegen zu ihm gebracht wurden, auch als Besessene akzeptierte. Nie ist davon die Rede, daß er eine Differentialdiagnose gemacht und erklärt hätte, in einem bestimmten Fall liege eine normale Krankheit und nicht eine Besessenheit vor.

Jesus scheint also davon ausgegangen zu sein, daß hinter Krankheiten allemal dämonische Mächte stünden, die im Betroffenen mehr oder weniger direkt ihr Unwesen trieben. Krankheit und Besessenheit gehörten demnach zusammen und gingen ineinander über. Die Besessenheit als die intensivste Form dämonischer Einwirkung auf den Menschen bestand in dieser Sicht darin, daß der Dämon ganz und gar vom Menschen Besitz ergriffen hatte, so daß dieser nicht mehr Herr seiner selbst war, sondern der Dämon durch ihn sprach und handelte. Je nach dem Maß, in dem der Dämon sich in einem Menschen festgesetzt hatte, war der Exorzismus mehr oder weniger angezeigt.

c) Zusammenfassung und Ausblick. Die bisherigen Ausführungen dieses Abschnitts zeigen, daß Jesus die Anschauungen seiner Zeit-

[7] K. Kertelge, Teufel, 32.

genossen bezüglich des Satans und der Dämonen in nicht unwesentlichen Punkten geteilt hat. Bei ihm findet sich zwar nichts von den Absonderlichkeiten und Abstrusitäten der Apokryphen, aber auch für ihn stand außer Frage, daß es dämonisch verursachte Ausnahmezustände gibt, die nur dadurch behoben werden können, daß die Dämonen vertrieben werden, also durch Exorzismus. Er sah die Dämonen in einer Linie mit dem Satan. Zwischen dessen versucherischem Wirken, das er selbst erfuhr und das die Menschen bedroht, und den entfremdenden Aktionen der Dämonen in den von ihnen befallenen Menschen gab es für ihn einen inneren Zusammenhang. Sowohl die satanische Verführung zur Sünde als auch die dämonische Knechtung, Schädigung und Destruktion des Menschen stellen sich gegen die Aufrichtung des Reiches Gottes. Satan und Dämonen sind somit menschenfeindlich und widergöttlich eingestellte Wesen. Diese sündhafte Grundhaltung „eint" sie und die von ihnen ausgehende Dynamik, die die Menschen hindert, sich für Gott zu öffnen, sei es durch satanische Verführung, sei es durch dämonische Behinderung bzw. Ausschaltung ihrer Freiheit; sie stürzt sie damit in Heillosigkeit und Chaos.
Dies alles war freilich von Jesus mehr vorausgesetzt als zum direkten Thema seiner Lehre erhoben. Er redete von den bösen Geistern nur als von der dunklen Realität, die sich wider sein Wirken erhebt. Gegen diese Realität kämpfte Jesus, überzeugt von ihrer zerstörerischen Macht; er hatte aber überhaupt nicht die Absicht, sie tiefer zu erforschen und darüber definitive Lehren zu geben. Was er darüber sagte, entspricht in etwa den Grundzügen der zeitgenössischen Tradition, die er nicht weiter hinterfragte. Worum es Jesus in seiner Botschaft eigentlich ging und was er durch seine Exorzismen auch erfahrbar machte, war die Zusage der Überwindung des Bösen. Die Menschen sollten erkennen, daß Gott im Begriff ist, sie aus der Macht des Bösen zu befreien und zum Heil zu führen. Wo sich der Mensch dem öffnet, wo er mit ganzem Herzen daran glaubt, daß in Jesus wirklich Gott selbst auf ihn zugeht, dort weicht das Böse. Ein Wort Jesu genügte, die Dämonen zu vertreiben, und seine Jünger bekamen dieselbe Macht (vgl. Lk 10,17). Vom Satan aber sagte Jesus, er habe ihn „wie einen Blitz vom Him-

mel fallen“ (Lk 10,18) sehen, was wohl nur bedeuten kann, daß er in seinen Einflußmöglichkeiten als Verführer und Ankläger depotenziert worden ist.
So liegt also der Ton der Botschaft Jesu auf der Zusage des Sieges der Kraft Gottes über die Mächte des Bösen und auf dem Appell an die Menschen, sie mögen sich im Glauben dieser Zusage öffnen, um so ihre Wahrheit ganz konkret erfahren zu können. Dies ist für den christlichen Glauben durch alle Zeiten hindurch maßgebend. Daß die Mächte des Bösen persönlich zu denkende Geistwesen sind, ist mehr selbstverständlich vorausgesetzt als betont. Die zeitbedingten Elemente in dieser Voraussetzung sind nicht zu leugnen. Wir können heute weder Versuchungen noch psychische Ausnahmezustände und Krankheiten im unmittelbaren Einfluß böser Geister begründen. Es scheint mir freilich sehr fragwürdig, ob man so weit gehen darf, daß man die Annahme der Existenz und des Wirkens widergöttlicher persönlicher Geistmächte überhaupt für zeitbedingt erklärt und sich gänzlich von ihr trennt. Wenn Jesus davon ausgeht, daß viele Übel, die den Menschen, vorgängig zu seiner eigenen Sünde, in seiner Integrität und seiner Gottesbeziehung bedrängen, auf derartige Wesen zurückgehen, steckt dann nicht eine ganz grundsätzliche Intuition über Gottes Verhältnis zu diesen Übeln dahinter? Jesus war, im Einklang mit bestimmten alttestamentlichen Traditionen, davon überzeugt, daß diese dunklen Züge der Welt dem ursprünglichen Schöpferwillen Gottes widersprechen. Es war für ihn ausgeschlossen, daß sein himmlischer Vater die menschenfeindliche Dynamik, die überall in der Schöpfung anzutreffen ist, gewollt hat; so führte er sie auf das widergöttliche (= satanische) Wirken von nichtmenschlicher geschöpflicher Freiheit zurück. Im 5. Kapitel wird versucht werden, diese Position in einer heute verantwortbaren Form theologisch zu entfalten.

3. Die bösen Geister im Neuen Testament

a) Grundsätzliche Übereinstimmung mit der Sicht Jesu. Die Autoren der neutestamentlichen Schriften liegen in ihren Auffassungen zu unserem Thema grundsätzlich auf der Linie Jesu. Es ist für sie

selbstverständlich, daß es Geistwesen gibt, die sich dem Willen Gottes widersetzen und sich in ihren aus dieser Rebellion entspringenden Aktivitäten besonders gegen Jesus und die christliche Gemeinde wenden. Dabei gilt Satan vor allem als der große Versucher und Verführer. Wie er Jesus von Gott abbringen wollte, so verführt er auch die, die an Jesus glauben, zum Abfall von der Reinheit der christlichen Botschaft (vgl. 2 Kor 2,11; 11,14), zu Verzagtheit und Ungeduld in der Verfolgung (vgl. 1 Petr 5,8), zu Unzucht bei unüberlegter Askese (vgl. 1 Kor 7,5). Wahrscheinlich darf man annehmen, daß von den Gläubigen erfahrene Versuchungen, die als satanisch interpretiert wurden, auch in die Berichte der Evangelien über Jesu Versuchung eingeflossen sind, da ja wie schon gesagt, nicht anzunehmen ist, daß es sich hier um eine Überlieferung exakter historischer Daten handelt.
Das ganze Neue Testament ist sich auch darin einig, daß Satan nicht nur die Christen zur Sünde verführt, sondern daß er bestrebt ist, alle Welt im Unglauben und den daraus folgenden Lastern festzuhalten. Dies ist eine andere Form der Versuchung: die Verhinderung der Bekehrung zum Evangelium. Paulus nennt den Satan in dieser Funktion „Gott dieser Weltzeit“ (2 Kor 4,4). In den johanneischen Schriften ist dieser auf den Menschen liegende satanische Bann besonders stark betont. Der Satan heißt hier „Herrscher dieser Welt“ (Joh 12,31; 14,30; 16,11). Er ist zwar durch Jesus grundsätzlich besiegt (vgl. 12,31), was aber nicht bedeutet, daß er über die, die sich Jesus nicht anschließen wollen, seine Macht verloren hätte. In diesem Sinn sagt der 1. Johannesbrief: „Wir wissen: Wir sind aus Gott, aber die ganze Welt steht unter der Macht des Bösen“ (5,19). Besonders drastisch markiert das Johannesevangelium auch Satans Macht über die bekehrungsunwilligen Juden, indem es Jesus die Worte in den Mund legt, sie hätten den „Teufel zum Vater“ (8,44).
Damit, daß der Satan als Herrscher bzw. in übertragenem Sinn sogar als Gott betitelt wird, ist nicht nur die Intensität seiner zur Sünde verführenden und in ihr festhaltenden Macht ausgesagt, sondern es ist damit auch gemeint, daß er Anführer vieler anderer böser Geister ist. Während manche Bibelwissenschaftler immerhin –

meiner Meinung nach freilich zu Unrecht — in Frage stellen, ob Jesus selbst die Dämonen, die im Menschen Besessenheit und Krankheit verursachen, ganz konkret als unter der Herrschaft des Satans stehend gesehen habe[8], so kann über die Meinung der Evangelisten kein Zweifel bestehen: Der Satan wird klar und eindeutig als Herr der Dämonen aufgefaßt (vgl. Mt 12,24; Mk 3,22; Lk 11,15). Wie eng der Zusammenhang zwischen Satan und Dämonen ist, zeigt sich auch darin, daß Matthäus die Dämonen auch mit dem Wort „Satan" bezeichnen kann (vgl. 12,26) und Lukas rückblickend die Dämonenaustreibungen Jesu global als Befreiung aus der Knechtschaft des Teufels bewertet (vgl. Apg 10,38).

b) Die Mächte. Wir haben bis jetzt die neutestamentlichen Aussagen über den Satan und über jene Dämonen besprochen, die vor allem Krankheiten und Besessenheit verursachen. Das Neue Testament redet aber auch noch von anderen Geistwesen, die dem Menschen gefährlich werden können. Sie tragen verschiedene Bezeichnungen: manchmal werden auch sie Dämonen genannt, sie können aber auch „Engel", „Weltelemente", „Mächte" und „Gewalten" heißen. Von ihnen ist noch kurz zu handeln.

1 Kor 10,20—22 verbietet Paulus den Korinthern die Teilnahme am Götzendienst. Als Begründung dafür führt er an, daß es zwar die Götter, an die die Heiden glauben, nicht gebe; dennoch gehe der Götzendienst nicht einfach ins Leere; seine Adressaten seien die Dämonen, mit denen man sich nach Paulus freilich keinesfalls einlassen sollte.

Den Hintergrund dieses Verbotes bildet die damals weit verbreitete jüdische Auffassung, daß es Engel gebe, die als kosmische Potenzen über die Gestirne und ihre Gesetzmäßigkeiten regierten und sich auch in ihnen offenbarten. Diese Engel seien von den Heiden irrtümlich für Götter gehalten worden. An sie denkt auch Paulus bei den von ihm als Dämonen bezeichneten Wesen.

Nun geht aus dem Text keineswegs eindeutig hervor, ob Paulus der Meinung war, daß diese Engel die Menschen förmlich zum Göt-

[8] Vgl. H. Haag, Teufelsglaube, durchgehend.

zendienst verführen, oder ob bloß die aus der Sünde stammende Verblendung des Menschen an dieser Perversion schuld ist. Wie nämlich der Galaterbrief zeigt, scheint Paulus die Engel, die er hier als „Elementarmächte" (5,3)[9] bezeichnet, keineswegs für schlechthin gottfeindliche Mächte gehalten zu haben. Die Gestirnsengel waren nämlich für den frommen Juden von besonderer Bedeutung, besonders die, die über die Zeiten gesetzt waren, „denn sie garantierten den rechten Verlauf der Jahreszeiten und offenbarten die Gnadenzeiten, an denen Gott den Menschen in besonderer Weise entgegenkam und immer neu entgegenkommt"[10]. Außerdem haben sie auch Vorbildfunktion, da sie ihre Aufgabe getreu und unabänderlich erfüllen. Daran sollte sich der fromme Jude orientieren und fest und ohne Wanken zum Gesetz stehen.

Paulus verfolgt im Galaterbrief das Ziel, die Galater vor dem Einfluß judaistischer Missionare zu warnen, die die aus dem Heidentum Bekehrten auf das jüdische Gesetz verpflichten wollten. Unter dem Gesetz zu stehen bedeutet immer auch, unter diesen Engeln zu stehen, sich im religiösen Leben an die von ihnen geregelten Zeiten zu halten und an ihrer starren Regelhaftigkeit Maß zu nehmen. Das aber widerspricht der christlichen Freiheit. Wer sich Christus zugewandt und dadurch die Fülle des Geistes empfangen hat, ist frei vom Gesetz und braucht deswegen auch die Vermittlung der Mächte, die das Gesetz garantieren, nicht.

Die Galater waren früher, als sie noch Heiden waren, diesen Mächten ganz und gar, noch mehr als die Juden, versklavt, da sie sie ja, anders als die Juden, als Götter verehrt hatten (vgl. Gal 4,8). Ein Abfall zur jüdischen Gesetzesfrömmigkeit würde zwar nicht direkt einen Rückfall in diese Form der absoluten Sklaverei bedeuten, um einen Rückfall in eine weniger strenge Knechtschaft würde es sich freilich sehr wohl handeln, da die wahre Freiheit des Menschen nur in Jesus Christus selbst garantiert sein kann. In ihm allein hat sich Gott selbst dem Menschen in seinem ganzen Reichtum zugänglich gemacht, einzig in ihm, der den Menschen unmittelbar mit Gott

[9] Zur ganzen hier anstehenden Problematik vgl. F. Mußner, Der Galaterbrief, Freiburg 1974, 290—303.
[10] M. Limbeck, Satan, 353.

selbst konfrontiert, kann sich die menschliche Freiheit zu ihrem eigentlichen Wesen entfalten. Jede Zwischenschaltung geschöpflicher Mächte zwischen dem in Jesus offenbar gewordenen Gott und den Menschen bedeutet eine Verdunkelung der Freiheit.
Wir sehen also: Paulus warnt zwar die Galater eindringlich, sich den Elementarmächten zu unterwerfen, er sagt aber nicht, daß diese nichts anderes im Sinn haben, als die Menschen unter ihre Herrschaft zu bekommen. Im Gegensatz zur späteren kirchlichen Überlieferung, die die jenseitigen Geistwesen entweder für ganz und gar zum Guten entschlossen (Engel) oder für total auf das Böse festgelegt (Satan und Dämonen) hält, sind die Engel, Mächte bzw. Dämonen für Paulus keineswegs nur gut oder nur böse. An sich stehen sie im Dienst Gottes und haben in seinem Auftrag den Menschen sogar das Gesetz überbracht (vgl. Gal 3,19), trotzdem traut ihnen Paulus auch zu, daß sie den Gläubigen ein anderes Evangelium verkünden (vgl. Gal 1,8), oder den Versuch machen könnten, die Gläubigen von Christus zu trennen (vgl. Röm 8,38). Paulus schließt also sicherlich nicht aus, daß die Mächte die Menschen auch aktiv verführen können, er rechnet damit. Aber er legt auf diesen Punkt nicht allzu großes Gewicht.
Der Kolosserbrief, der wahrscheinlich nicht von Paulus selbst verfaßt ist, in seinem Geist jedoch dem Denken des Apostels nahesteht, behandelt ein Problem, das dem Anlaß des Galaterbriefes analog ist. Die Kolosser waren von einer Lehre bedroht, in der sich judaistisches Gedankengut mit heidnischen Glaubenselementen vermischte. Wer sich dieser Lehre anschließt, unterwirft sich nach den Aussagen des Briefes den Elementarmächten (vgl. 2,20), die in Kolossä im übrigen kultisch verehrt wurden (vgl. 2,18). Er begibt sich dadurch von neuem in ihren Machtbereich, aus dem ihn Gott durch das Kreuz Christi schon befreit hatte (vgl. 2,14). Die Mächte sind hier deutlich negativer gedacht als in den echten Paulusbriefen. Sie befinden sich in Rebellion gegen Gott; es ist wohl vorausgesetzt, daß sich diese Rebellion dagegen richtet, daß ihnen ihre Macht über die Menschen, die sie bis dahin hatten, entrissen wurde. Im Zuge dieses Kampfes wurden sie von Gott „entwaffnet und öffentlich zur Schau gestellt“; durch Christus hat Gott über sie tri-

umphiert (vgl. 2,15). Der Kolosserbrief sieht aber die Mächte nicht nur in einer deutlichen Frontstellung gegen Gott, er bringt sie auch in engen Zusammenhang mit dem Teufel, der als ihr Herrscher gilt (vgl. 2,2).

Ganz und gar als böse Geister erscheinen die Mächte im Epheserbrief. Hier schreibt der Verfasser — es ist sicher nicht Paulus — an die Gemeinde: „Ziehet die Rüstung Gottes an, damit ihr den listigen Anschlägen des Teufels widerstehen könnt. Denn wir haben nicht gegen Menschen aus Fleisch und Blut zu kämpfen, sondern gegen die Fürsten und Gewalten, gegen die Beherrscher dieser finsteren Welt, gegen die bösen Geister des himmlischen Bereiches" (6,11f.). Zusammen mit dem Teufel bedrohen diese bösen Geister den Glauben der Christen und wollen sie in das Böse hineinziehen. Würde ihnen das gelingen, dann gehörten die Christen von neuem, wie vor ihrer Bekehrung, zu den „Söhnen des Ungehorsams", die unter der Gewalt des Teufels stehen (vgl. 2,2). Gegen das Heer der bösen Geister kann der Christ nur in einer Haltung entschlossener Kampfbereitschaft bestehen (vgl. 6,10—20).

Die in diesem Unterabschnitt besprochenen neutestamentlichen Aussagen sagen also, daß der Mensch in den Bann der Mächte geraten kann, sei es dadurch, daß er sie mit Göttern verwechselt und als solche anbetet, sei es dadurch, daß er sich ihnen durch Einhalten des Gesetzes oder auch durch kultische Verehrung unterwirft. Unterschiedlich ist die Rolle, die den Mächten selbst zugeschrieben wird. Von den von uns betrachteten Schriften stellt sie der Epheserbrief am eindeutigsten als in widergöttlicher und die Menschen gefährdender Aktivität befindlich dar. In den echten Paulusbriefen und auch noch im Kolosserbrief wird diese Aktivität weniger betont, wenn auch nicht ausgeschlossen. Hier liegt der Akzent mehr darauf, daß es der menschlichen Verblendung entspringt, wenn man sich von den Mächten zu sehr faszinieren läßt.

Im ganzen scheint bezüglich der Gottfeindlichkeit und Destruktivität der Mächte eher die Sicht vorzuherrschen, daß sie nicht von jeher bestanden habe oder zumindest nicht voll wirksam geworden sei. Erst nachdem sich Gott endgültig in Jesus Christus geoffenbart hat, treten sie — bzw. nur ein Teil von ihnen — zur Rebellion an.

In den späteren neutestamentlichen Schriften werden sie mehr und mehr in Zusammenhang gestellt mit dem Satan und den Krankheitsdämonen in dem einen widergöttlichen Reich des Bösen.

4. *Zusammenfassung*

Für unsere weiteren Überlegungen seien die Erörterungen dieses Kapitels in Thesen gefaßt.

1. Das ganze Neue Testament sieht, in grundsätzlicher Übereinstimmung mit Jesus selbst, den Satan als Widersacher Gottes, der als der Versucher schlechthin vor allem bestrebt ist, die Menschen zur Sünde, letztlich zum vollendeten Abfall von Gott, zu verführen.
2. Durchgehend im Neuen Testament ist auch die Sicht Satans als Anführer aller anderen bösen Geister festzustellen.
3. Die Exorzismen Jesu sind keine Teufels- oder Satansaustreibungen, sondern in ihnen werden Dämonen verjagt. Dämonen gelten in diesem Kontext weniger als Versucher zum Bösen denn als Verursacher von körperlichen oder seelischen Desintegrationserscheinungen.
4. Die Exorzismen sind freilich insofern doch auch ein Kampf gegen Satans Herrschaft, als auch die Dämonen irgendwie dem satanisch dominierten Reich des Bösen angehören.
5. Was die Mächte betrifft, so gehören sie nicht eindeutig zu den bösen Geistern, zumindest nicht in allen neutestamentlichen Schriften, die sie erwähnen. Als kosmische Potenzen können sie freilich eine Faszination ausstrahlen, die den Gottesbezug der Menschen gefährdet. Erst in den späteren neutestamentlichen Schriften werden sie eindeutig als von sich aus gottwidrig und die Menschen verführend verstanden und dem Reich des Bösen zugezählt.

V. Systematisch-theologische Interpretation

1. Für ein differenziertes Bibelverständnis

Wie im vorigen Kapitel gezeigt wurde, sieht die Bibel die bösen Geister in unmittelbar-persönlicher Weise am Werk, als nächste Ursachen bzw. Urheber ganz konkreter Vorgänge. Der Satan versucht die Menschen zur Sünde bzw. hält sie in ihr fest, indem er ihren Hochmut oder ihre Begierden umgarnt und ihnen das Leben in Unglaube, Egoismus und Zügellosigkeit als vernünftig, begehrenswert, als einzig in Frage kommende Möglichkeit hinstellt. Er wird dabei als unmittelbar in die Psyche des Menschen hineinwirkend gedacht, ohne daß man freilich angeben könnte, wie sich die Autoren der Schrift das des näheren vorgestellt haben. Ähnlich unmittelbar wird zum Teil auch das Wirken der Mächte gesehen, die die Menschen dazu verleiten, sich von ihnen als den Beherrschern der Gestirne oder den Weltelementen in einer Weise faszinieren zu lassen, die der Beziehung zu Gott durch Jesus Christus Abbruch tut, indem Jesus zugunsten der Mächte aus dem Zentrum der Aufmerksamkeit rückt. Auch bei der Besessenheit gelten die Dämonen als unmittelbare Ursachen der Ausnahmezustände: sie bemächtigen sich des Menschen, um sich durch seine Ausdrucksmittel selbst in Szene zu setzen.

Fundamentalistische Gruppen aus dem evangelischen Raum sowie katholische Traditionalisten versuchen, die Schrift in dieser Frage möglichst wörtlich zu interpretieren, wobei die evangelischen Fundamentalisten noch weiter gehen als die katholischen Traditionalisten. Die katholische Tradition hat sich nämlich im Lauf der Jahrhunderte insofern zu einer etwas zurückhaltenderen Interpretation der Bibel in unserer Frage durchgerungen, als sie für die Diagnostizierung von Besessenheit verhältnismäßig restriktive Kriterien anwendet. Das seit 1614 gültige Rituale Romanum nennt, wie gesagt, als entscheidend paranormale Fähigkeiten. Die heutige offizielle Lehre des kirchlichen Amtes scheint sogar, wie wir noch sehen werden, noch weiter in der Zurückhaltung zu gehen. Zu dieser Zurückhaltung besteht auch aller Anlaß. Die überkommene satanologische und dämonologische Erklärung gewisser Phänomene läßt sich heute nicht mehr halten, eine grundsätzliche Neuinterpretation tut not.

Das ergibt sich aus den Erörterungen des 3. Kapitels, in dem aufgezeigt wurde, daß die Erscheinungen der Szene und auch der Besessenheit, die vielfach als ein geradezu empirischer Beweis für dämonisches Wirken galt, parapsychologisch, psychologisch und anthropologisch verständlich gemacht werden können. Das gilt auch von dem in ihnen auftretenden Moment der Bosheit, das bis jetzt noch nicht explizit zur Sprache gekommen ist. Die Bosheit entzieht sich freilich prinzipiell dem vollen Begreifen, ihre Irrationalität ist aber nicht gleichzusetzen mit unmittelbarer Dämonengewirktheit.

So muß man also annehmen, daß die biblische Sicht des unmittelbaren Eingreifens böser Geister in konkrete Abläufe Elemente in sich schließt, die zeitbedingt sind und auf das Konto des damaligen Weltbildes gehen, das auch von Jesus und seinen Zeitgenossen selbstverständlich vorausgesetzt wurde, aber nicht zum Inhalt der göttlichen Offenbarung gehört. Heute meinen nicht wenige Theologen, die Annahme der Existenz böser Geister sei überhaupt überholt, man müsse heute „Abschied vom Teufel“[1] nehmen. Diese Ansicht teile ich nicht. Ich meine, man darf die christliche Dämonologie nicht einfach zum alten Eisen werfen, nicht nur deswegen, weil das der biblischen Tradition doch eher grundsätzlich und formal zu widersprechen scheint, sondern auch aus dem Grund, weil sich aus dieser Tradition wertvolle, meiner persönlichen Meinung nach sogar unersetzliche Elemente zur Erhellung der menschlichen Situation vor Gott gewinnen lassen.

[1] Vgl. H. Haag, Abschied vom Teufel, Einsiedeln ^{4}1973.

2. *Existenz und Wirksamkeit böser Geister*

a) Die kirchliche Lehre. Die Lehre von der Existenz eines personhaft gedachten Teufels sowie persönlicher Dämonen ist kein im strengen Sinn definiertes kirchliches Dogma. Das IV. Laterankonzil hat zwar im Jahr 1215 erklärt: „Der Teufel und die übrigen Dämonen wurden von Gott von Natur aus gut geschaffen; sie wurden aber durch ihre eigene Schuld böse“[2], diese Aussage darf aber nicht für sich allein interpretiert, sondern muß in Zusammenhang gesehen werden mit der Absicht des Konzils, die Irrlehren der Katharer zurückzuweisen. Diese behaupteten nämlich, es gebe neben und gegen Gott ein absolut böses Prinzip, das gleich ewig und gleich mächtig wie Gott sei. Dagegen wollte das Konzil sagen: Ein solches Prinzip existiert nicht. Alles, was an Übel und Bösem vorhanden ist, geht auf das Versagen der geschöpflichen Freiheit zurück. Dies gilt auch von der Bosheit des Teufels und der Dämonen, die man nur als ursprünglich gute und durch eigene Schuld böse gewordene Geschöpfe Gottes verstehen darf. Die Frage nach der tatsächlichen Existenz des Teufels und der Dämonen war aber damals noch gar nicht zum Problem geworden. Daß es sie gibt, hielt man für selbstverständlich. Man darf aber nur das als definiertes Dogma verstehen, worüber man sich auf einem Konzil ausdrücklich Gedanken macht und was man daraufhin in einem bestimmten, eindeutigen Sinn entscheiden will, nicht aber das, was man selbstverständlich und unproblematisch voraussetzt. Somit ist festzustellen: Das IV. Laterankonzil hat streng genommen nur definiert: Es gibt kein absolut böses Prinzip, das Gott ebenbürtig gegenübersteht, denn auch der Teufel und die Dämonen sind, *wenn sie existieren,* nur als aus eigener Schuld böse gewordene Geschöpfe, die von Gott ursprünglich und eigentlich zum Guten berufen waren, aber von ihm abgefallen sind, aufzufassen.

Damit ist freilich noch nicht gesagt, daß die Existenz persönlicher böser Geister nicht doch zum verpflichtenden Glauben gehören

[2] H. Denzinger/E. Schönmetzer, Enchiridion symbolorum, definitionum et declarationum de rebus fidei et morum, Freiburg [33]1965, Nr. 800.

könnte. Nicht alles, was glaubensverbindlich ist, ist in strenger Weise als Dogma definiert. Das, was die Schrift und die Tradition bezeugen, geht ja dem kirchlichen Dogma voraus; die Kirche kann und darf nichts anderes dogmatisch lehren als das, was in den Quellen der Offenbarung vorgegeben ist.

Es kann nun kein Zweifel sein, daß das kirchliche Lehramt die Lehre von der Existenz böser Geister für glaubensverbindlich hält. Wir gehen hier nur auf Dokumente aus jüngster Zeit ein, die bisherige kirchliche Tradition in dieser Frage ist ohnehin selbstverständlich. Zunächst sei die Ansprache Papst Pauls VI. vom 15. November 1972 erwähnt.[3] Hier wird der Teufel als „eine wirkende Macht, ein lebendiges geistiges Wesen, verderbt und verderbend, eine schreckliche Realität, geheimnisvoll und beängstigend“[4], bezeichnet. Er ist der Anführer vieler anderer Geistwesen, die alle wie er ursprünglich gute Geschöpfe Gottes sind, die aber von Gott abfielen, „weil sie aufbegehrten und verdammt wurden“. „Wer die Existenz dieser Realität bestreitet, stellt sich außerhalb der biblischen und kirchlichen Lehre.“[5] In ähnlich eindeutiger Weise hat auch Papst Johannes Paul II. Stellung bezogen.[6] Im Zusammenhang seiner Mittwoch-Katechesen über die Engel sprach auch er vom Satan, der „in der radikalen und nicht mehr umkehrbaren Verneinung Gottes“ lebt und als „kosmische(r) ‚Lügner‘ und ‚Vater der Lüge‘“ „der Schöpfung, den anderen als Abbild Gottes erschaffenen Wesen und besonders den Menschen“ „seine tragische Lüge über...Gott aufzunötigen“ versucht. Die Lehre über den Satan und die Dämonen gehört zum „rechten Glauben der Kirche“, den der Papst in diesen Ansprachen „klarzustellen“ beabsichtigt.

Die Ansprachen von Paul VI. und Johannes Paul II. machen eine Fülle von Aussagen über Wesen und Wirken des Satans und der Dämonen. Diese Aussagen beruhen im großen und ganzen auf der be-

[3] Paul VI. in: deutsche Ausgabe von L'Osservatore Romano v. 24.11.1972, abgedruckt bei H. Haag, Teufelsglaube, 506—510.

[4] Paul VI. bei H. Haag, Teufelsglaube, 507.

[5] Ebd.

[6] Johannes Paul II. in: deutsche Ausgabe von L'Osservatore Romano v. 29.8.1986.

reits früher skizzierten Tradition und interpretieren diese mit persönlichen Akzenten. Hier ergibt sich so manche Frage, wenn man mit diesen Aussagen das vergleicht, was im 4. Kapitel dieses Buches im Anschluß an die heutige Exegese aus dem biblischen Befund erhoben wurde. Die biblischen Vorstellungen vom Satan, den Dämonen, den Engeln und den Mächten sind viel vielfältiger und disparater, als sie in dieser harmonisierenden und systematisierenden Tradition verstanden werden; oft beruhen sie zudem auf außerbiblischen Legenden und Mythen, die man nicht unbesehen als göttliche Offenbarung interpretieren sollte.

Eindeutig ist das z. B. bei der von Johannes Paul II. erwähnten Stelle Jud 6.[7] Hier ist die Rede von den „Engeln, die ihren hohen Rang mißachtet und ihre Wohnsitze verlassen haben" und dafür von Gott bis zum Tag des Gerichtes „mit ewigen Fesseln in der Finsternis eingeschlossen wurden". Diese Stelle bezieht sich auf „jene jüdischen Legenden, nach denen ein Teil der Engel in grauer Vorzeit den Himmel verlassen, sich Menschentöchter zur Frau genommen und mit ihnen die Riesen gezeugt hat"[8]. Diese Legenden finden übrigens auch einen ganz expliziten Niederschlag in der Schrift, und zwar Gen 6,1—6. Die Zeit, in der das alles noch ganz wörtlich als Offenbarung genommen wurde, ist nicht allzu lang her. Zur Zeit des Hexenwahns begründete man mit Gen 6,1—6 die Möglichkeit, daß Frauen mit Dämonen Kinder haben könnten!

In unserem Zusammenhang geht es freilich weniger um solche diskutable Einzelheiten, sondern um die Grundlinien der kirchlichen Lehre. Da ist zunächst einmal festzustellen: Das kirchliche Lehramt hält daran fest, daß es persönliche böse Geister gibt, von Gott geschaffene freie Wesen, die sich aus eigener Schuld von Gott abgewandt haben. Päpstliche Ansprachen machen eine nicht-definierte Lehre zwar auch nicht zum Dogma, für die katholische Theologie sind derartige Äußerungen aber doch entscheidende Richtpunkte, was nicht heißt, daß eine Diskussion darüber nicht statthaft wäre.

[7] Ebd.
[8] M. Limbeck, Satan, 381.

Was nun das Wirken der bösen Geister in der Welt betrifft, so besteht die Grundaussage des kirchlichen Lehramtes darin, daß sie als Verführer der Menschen zum Bösen zu sehen sind. Der Satan ist „der Versucher schlechthin...Er ist der raffinierte Ränkeschmied, der das sittliche Gleichgewicht im Menschen stört. Er ist der verräterische und listige Zauberer, der sich in uns einzuschmeicheln versteht über die Sinne, die Phantasie, die Begierde, über das utopische Denken oder über ungeordnete soziale Kontakte im Bereich unseres Handelns, um zu Abirrungen zu verleiten, die ebenso schädlich sind, wie sie unseren psychischen und physischen Strukturen oder unseren tiefen, triebhaften Strebungen scheinbar entsprechen."[9]
„Das Handeln Satans besteht vor allem darin, die Menschen zum Bösen zu versuchen, indem er ihr Vorstellungsvermögen und ihre höheren Fähigkeiten beeinflußt, um sie abzulenken in die dem Gesetz Gottes entgegengesetzte Richtung."[10]
Während die versucherische Tätigkeit der bösen Geister also eher konkret und unmittelbar gedacht wird, sind die beiden päpstlichen Ansprachen eher zurückhaltend, wenn es um die Besessenheit geht. Paul VI. erwähnt sie nicht einmal direkt, und Johannes Paul II. sagt: „Es ist nicht ausgeschlossen, daß der böse Geist es in gewissen Fällen so weit treibt, seinen Einfluß nicht nur auf materielle Dinge, sondern auch auf den Leib des Menschen auszuüben, dann spricht man von ‚Besessenheit vom Teufel' (...). Es ist schwierig, das Außernatürliche, das in solchen Fällen vorkommt, zu unterscheiden, und die Kirche versteht sich nicht leicht dazu und gibt nicht leicht der Tendenz nach, viele Tatsachen direkten Interventionen des Teufels zuzuschreiben. Aber vom Prinzip her kann man es nicht verneinen, daß der Satan in seinem Willen, zu schaden und zum Bösen zu verführen, es zu dieser extremen Bekundung seiner Gewalt bringen kann."[11]
Diese Worte wollen offensichtlich in der Diagnose von Besessenheit zu äußerster Vorsicht mahnen. Johannes Paul II. scheint hier die Meinung der deutschen Bischöfe zu teilen, die anläßlich des Fal-

[9] Paul VI. bei H. Haag, Teufelsglaube, 508.
[10] Johannes Paul II. in L'Osservatore Romano v. 29.8.1986.
[11] Ebd.

les Klingenberg geschrieben haben: „Hinweise und Texte des Großen Exorzismus im Rituale Romanum entspringen dem Denken und Empfinden einer anderen Zeit und bedürfen deshalb einer Neufassung, die seit längerem in Vorbereitung ist."[12] In diesem Punkt ist die päpstliche Lehre von der im 2. Kapitel dargestellten kirchlichen Tradition abgegangen, und die katholischen Traditionalisten können sich wohl nicht mehr zu Recht auf den Papst berufen, wenn sie schnell und unkritisch Besessenheit diagnostizieren, wenn irgendwo ein psychischer Ausnahmezustand vorliegt. Ich glaube freilich, daß man die Neuinterpretation der Tradition noch weiter vorantreiben muß, wie im folgenden gezeigt werden wird.

b) Grundsätzliche Fragen.[13] Gegen die Annahme, die Existenz böser Geister sei eine verbindliche Glaubenswahrheit, spricht eine grundsätzliche Überlegung.

In der Offenbarung Gottes geht es ja nicht darum, daß es in der Schöpfung diese oder jene Wirklichkeiten gibt. Offenbarung ist keine Information über das Endliche, Geschöpfliche, sondern das Zugehen Gottes auf die Menschen, die Kundgabe und Verwirklichung seines Ratschlusses, sie von Sünde und Schuld zu erlösen und in sein innerstes Leben hineinzunehmen. Offenbarung Gottes ist Selbstöffnung, Selbstmitteilung Gottes. Von ihr fällt freilich auch ein neues Licht auf den Sinn des Endlichen, auf die Bestimmung des Menschen und von allem, was Gott geschaffen hat. Der Mensch ist dazu ausersehen, am göttlichen Leben teilzuhaben, und die Gemeinschaft zwischen Gott und Mensch soll ihre Vollendung finden in der „neuen Erde" (Offb 21,1), in der Gott „herrscht über alles und in allem" (1 Kor 15,28). Damit ist aber keine Auskunft verbunden, welche Wesen nun im einzelnen in der Schöpfung existieren und wie sie beschaffen sein mögen.

Damit ist es aber prinzipiell nicht möglich, die Annahme der Existenz des Satans und der Dämonen einfach in positivistischer Weise

[12] Erklärung der Deutschen Bischofskonferenz anläßlich des Exorzismusfalles in Klingenberg, in: Besessenheit und Exorzismus, Linz o.J., 62.

[13] Vgl. K. Rahner, Über Engel, in: ders., Schriften zur Theologie, Bd. 13, Zürich 1978, 381—428.

der Bibel zu entnehmen. Die Selbstverständlichkeit der biblischen Aussagen in dieser Frage, vor allem im Neuen Testament, beweist nicht, daß hier eine Glaubenswahrheit ausgesprochen werden soll, sondern sie kommt daher, daß es für Jesus und seine Zeitgenossen eine schlichte Tatsache war, daß es böse Geister gibt. Sie zeigten in Versuchungen ihre Macht, ganz unbezweifelbar begegnete man ihnen aber in der Besessenheit. Diese Erfahrung und die heilvolle Erfahrung der Exorzismen wurde theologisch gedeutet; in diesen eindrucksvollen Vorgängen erwies sich die Macht des in Jesu Kommen anbrechenden Reiches Gottes, durch das die dämonischen Wesen jäh in die Flucht geschlagen wurden, was aber auch eine prinzipielle Zurückdrängung des Reiches des Satans bedeutete.

Wir erfahren heute bei Versuchungen und bei der Besessenheit nicht mehr die persönliche Anwesenheit böser Geister. Daß uns zumindest die Evidenz nicht mehr gegeben ist, die in biblischen und auch noch viel späteren Zeiten die Menschen in dieser Frage hatten, zeigen auch die neueren kirchlichen Verlautbarungen, z. B. die bereits zitierte Ansprache Pauls VI., in der es heißt, es sei keineswegs leicht zu sagen, an welchen Anzeichen die Anwesenheit des Teufels zu erkennen sei, hier handle es sich vielmehr um eine „umfangreiche und schwierige Diagnose“[14].

In den folgenden Überlegungen wird sich herausstellen, daß es sich von einer grundsätzlichen Überlegung her dennoch nahelegt, an der Annahme der Existenz und Wirksamkeit böser Geister festzuhalten. Es ist zwar nicht möglich, die biblische Selbstverständlichkeit in dieser Frage zu erneuern; diese Selbstverständlichkeit hat sich als eine zeitbedingte Interpretation von Phänomenen erwiesen, die wir heute mit guten Gründen anders erklären. Es scheint mir aber in der biblischen Dämonologie einen Kern zu geben, an dem man um der richtigen Sicht des Gott-Welt-Verhältnisses, also aus genuin theologischen Gründen, festhalten muß und auch festhalten kann, ohne daß dabei Gegensätze zu wissenschaftlichen Aussagen entstehen würden. Dies ist im folgenden zu zeigen, wobei ich mir bewußt bin, daß ich hier einen persönlichen Standpunkt

[14] Paul VI. bei H. Haag, Teufelsglaube, 509.

vortrage, der, wie ich meine, gute Argumente für sich hat; viele Fragen bleiben freilich offen.

c) Das Übel – nicht der ursprüngliche Schöpferwille Gottes. Ein biblischer Gedanke, von dem ich ausgehe, wurde im 4. Kapitel bereits formuliert: Jesus war, in Einklang mit bestimmten alttestamentlichen Traditionen, davon überzeugt, daß konkrete Übel, die das Gottesverhältnis und die Integrität des Menschen bedrohen, von seinem himmlischen Vater nicht gewollt sind. Dies ist im folgenden weiter auszuführen, und zwar ins Allgemeine gewendet: es geht um die Beziehung des Schöpfergottes zum Übel.

Eines der augenfälligsten Übel, denen der Mensch begegnet, ist die Vergänglichkeit des Lebendigen, die sich für ihn selbst im Tod auswirkt. Solange der Mensch nicht vom Licht des Glaubens, worunter nicht nur der christliche Glaube verstanden werden darf, erleuchtet ist, erlebt er den Tod als Sturz ins Nichts. Damit aber kann sich der Mensch im letzten nicht wirklich abfinden. Er erlebt sich als einmalige und unersetzliche Person, die die Tendenz in sich trägt, sich in endgültiger Weise in der Wirklichkeit zu verwurzeln. Eine Frustration dieser Grunddynamik ist für ihn eine Sinnlosigkeit. Besonders deutlich sehen wir das, wenn wir an den Tod eines Menschen denken, dem wir in Liebe verbunden sind. Der Gedanke, das kostbare Du des anderen könnte eines Tages im Nichts vergehen, erfüllt jeden Liebenden mit Grauen und Entsetzen. Das Problem des Todes stellt sich im übrigen bereits im Bereich des Untermenschlichen, ganz deutlich bei den höheren Tieren. Auch diese tragen bereits Züge einer Art von Individualität, mit deren Auflösung im Tod etwas verlorengeht, das zwar nicht in einem Atemzug genannt werden kann mit der Unersetzlichkeit eines Menschen, aber doch von Ferne daran rührt.

Schon der Verfasser des Berichtes vom Paradies und vom Sündenfall hat es Gott offensichtlich nicht zugetraut, daß er das ursprünglich so gewollt habe. Hier wird der Mensch als ursprünglich, vom Willen des Schöpfers her, dem Tod nicht unterworfen dargestellt. Erst durch die Sünde ist die Notwendigkeit des Sterbens über ihn gekommen (vgl. Gen 2,17). Dieser Gedanke wird im Neuen Testament wieder aufgenommen. Auch nach Röm 5,12 ist der Tod eine Folge der Sünde. Röm 8,19—22 wird sogar die ganze Schöpfung in die Betrachtung einbezogen: Sie „wartet sehnsüchtig auf das Offenbarwerden der Söhne Gottes. Die Schöpfung ist der Vergänglichkeit unterworfen, nicht aus eigenem Willen, sondern durch den, der sie unterworfen hat, aber zugleich gab er ihr Hoffnung: Auch die Schöpfung soll von der Sklaverei und Verlorenheit befreit werden zur Freiheit und Herrlichkeit der Kinder Gottes. Denn wir wissen, daß die ganze Schöpfung bis zum heutigen Tag seufzt und in Geburtswehen liegt." An dieser Stelle ist vorausgesetzt, daß die Vergänglichkeit und Verlorenheit mit der Sünde des Menschen über die Schöpfung kam, vorher war auch sie nicht in diesem qualvollen Zustand.[15]

Wenn wir diese biblischen Aussagen heute auch nicht mehr als realistische Beschreibung verstehen können und annehmen, daß es weder für den Menschen noch für die Schöpfung ein reales Paradies gegeben hat, so sollten wir doch eines festhalten: Die Herrschaft des Todes über das Leben ist nach der Bibel nicht der ursprüngliche Schöpferwille Gottes. Er „hat den Tod nicht gemacht und hat keine Freude am Untergang der Lebenden. Zum Dasein hat er alles geschaffen, und heilbringend sind die Geschöpfe der Welt. Kein Gift des Verderbens ist in ihnen, das Reich des Todes hat keine Macht auf der Erde, denn die Gerechtigkeit ist unsterblich" (Weish 1,13—15). Wir können uns zwar in keiner Weise vorstellen, wie eine derartige Welt aussehen könnte; wir kennen nur die, in der wir leben. Diese ist aber nach dem Zeugnis der Bibel nicht so, wie Gott sie eigentlich wollte. Sie wird auch nicht in diesem Zustand bleiben, sondern ihr ist Erlösung verheißen, wie die zitierte Römerbriefstelle verkündet.

Ein weiterer dunkler Punkt ist die im Reich des Lebendigen herrschende Aggressivität. Sie mag zunächst mit der Vergänglichkeit des Lebendigen zusammenhängen. Der Tod droht den Lebewesen ja nicht nur dadurch, daß sich ihre inneren Kräfte allmählich aufzehren, sondern auch von äußerer Gewaltsamkeit her. Im Kampf

[15] H. Schlier, Der Römerbrief, Freiburg 1977, 260—262.

dagegen sind im Lauf der Evolution viele aggressive Instinkte zur Abwehr solcher Bedrohung entstanden. Man muß aber sagen, daß sich dabei die Aggressivität zu erschreckenden Formen entwickelt und in vielen Lebewesen die Form einer strukturellen Destruktivität angenommen hat; man denke an die Raubtiere auf allen Stufen des Lebendigen, die sich prinzipiell von lebendem, zuckendem Fleisch ernähren. In der Evolution ist die strukturelle Aggressivität in der Gestalt des Selektionsprinzips zu einem beherrschenden Faktor geworden. Hier ist der Satz Heraklits, daß der Krieg der Vater aller Dinge sei, häufig gültig.

Auch diese Verfassung des Lebens scheint die Bibel an manchen Stellen nicht als schlechthin gottgewollt einzuschätzen. Man darf vielleicht das Seufzen und In-Geburtswehen-Liegen der Schöpfung, von der die eben erwähnte Römerbriefstelle (8,22) redet, auf unser Problem beziehen und annehmen, daß es diese Qual „am Anfang“ nicht gab, was in unserer Interpretation heißt, daß sie dem widerspricht, was der Schöpfer intendierte. Außerdem verheißt die Bibel, Gott werde dafür sorgen, daß sein ursprünglicher Wille Wirklichkeit wird. Dann wird sich auch das Leben der Tiere in einer friedlichen Art und Weise vollziehen: „Dann wohnt der Wolf beim Lamm, der Panther liegt beim Böcklein, Kalb und Löwe weiden zusammen, ein kleiner Knabe kann sie hüten. Kuh und Bärin freunden sich an, ihre Jungen liegen beieinander. Der Löwe frißt Stroh wie das Rind. Der Säugling spielt vor dem Schlupfloch der Natter, das Kind streckt seine Hand in die Höhle der Schlange“ (Jes 11,6–8). Ich meine natürlich nicht, daß man diese Stelle als wörtlich zu verstehende Schilderung eines einmal kommenden Zustandes verstehen darf. Wir können uns die konkrete Form eines derartigen paradiesischen Friedens in keiner Weise vorstellen. Wir kennen das Leben nur so, wie es ist. Sein Zustand ist aber dennoch nicht der, der dem Schöpfungswillen Gottes entspricht.

Auch der Mensch ist mitbetroffen von der Richtung, die die Evolution genommen hat. Etwas von der zerstörerischen Wildheit des Lebens trägt auch er in seinen Genen. Wie die Psychoanalyse gezeigt hat, ist sein Unbewußtes von Anfang an mit Triebstrebungen belebt, die exzessive und destruktive Züge tragen. Die menschliche

Aggression ist nur zum Teil eine Reaktion auf vom einzelnen erfahrene Frustrationen, zum Teil ist sie schon vorher da, und es besteht immer die Gefahr, daß sie sich in gewalttätiger Weise Bahn bricht. Auch die sexuellen Strebungen sind nicht von Natur aus harmonisch, sondern haben eine die psychischen Strukturen des Menschen gefährdende Macht, nicht etwa wegen ihrer bereits besprochenen ekstatischen Dimension an sich, sondern wegen ihrer Tendenz, den Menschen voll und ganz in Beschlag zu nehmen, ihn nach Art einer Sucht zu versklaven und sich mit den destruktiven Strebungen zum Sadismus zu legieren.
Von dieser Dissonanz in der Natur des Menschen sind auch die gesellschaftlichen Dimensionen des menschlichen Daseins geprägt. Die zerstörerischen Aggressionen brechen sich immer wieder Bahn: in Morden, Kriegen, Genoziden. In der menschlichen Geschichte gilt das Heraklitsche Prinzip vom Krieg als dem Vater aller Dinge ebenfalls sehr weitgehend. Auch dann aber, wenn in den menschlichen Gesellschaften Ordnung und Stabilität gegeben zu sein scheinen, brodeln in der Tiefe sehr oft unbewußte Energien; die Gesellschaftsstrukturen sind vielfach nichts anderes als ein labiles Gleichgewicht höchst explosiver Kräfte, und die äußere Ordnung verschleiert nur die unbewußte Aggression zwischen den einzelnen Gruppen der Gesellschaft.
Es ist klar, daß sich der Mensch in einer solchen Welt nur schwer orientieren kann. Ist es nicht verständlich, wenn er sich sagt, in ihr könne man sich nur behaupten, wenn man sich der herrschenden Gewalt anpasse und nach Kräften versuche, sich durchzusetzen — was letztlich miteinschließt, auch den genannten destruktiven Tendenzen die Zügel schießen zu lassen? Ist es nicht verständlich, wenn sich der Mensch ein Gottesbild formt, das dem Bild dieser Welt entspricht, und wenn er sich Gott (bzw. die Götter) mit grausamen und sadistischen Zügen vorstellt, wie es in vielen Religionen zu beobachten war und ist und passagenweise sogar in der Bibel und in der Geschichte des Christentums nachklingt? Gerade dann, wenn man von der Allmacht Gottes eine hohe Meinung hat, scheint ja kaum etwas anderes übrig zu bleiben als die Annahme, Gott selbst wolle eben alles so, wie es sei, die von mir beschriebenen Übel und

sogar auch noch das von den Menschen bewußt getane Böse, auf das noch zu sprechen zu kommen sein wird. Die christliche Lehre über die göttliche Vorsehung und Vorherbestimmung kam dieser Sicht zeitweise sehr nahe. Dabei entsteht ein Gottesbild, das Gott als einen grausamen Despoten zeichnet, der trotz seiner als willkürlich empfundenen Ratschlüsse als höchst heilig und gerecht zu preisen ist. Daß viele Menschen es vorziehen, sich von einem solchen Gott abzuwenden und dem Atheismus anzuhängen, ist ebenfalls eine verständliche Reaktion. Wie bereits am Anfang dieses Unterabschnittes erwähnt, hatte Jesus von seiner Gotteserfahrung her eine andere Sicht des Verhältnisses Gottes zu den Übeln, wofür in den eben gemachten Überlegungen weitere biblische Belegstellen angeführt wurden: Gott will die Übel nicht, sie widersprechen seiner Gerechtigkeit und seiner Liebe zu den Geschöpfen.

d) Das Böse. Die eben aufgestellte Behauptung verlangt freilich die Beantwortung der Frage, wie es im Bereich des Geschöpflichen überhaupt etwas geben könne, das dem Willen Gottes widerspricht. Wenn Gott allmächtig ist, was für den christlichen Glauben stets feststand, dann scheint für einen derartigen Widerspruch keine Möglichkeit gegeben zu sein. Dieser Satz ist freilich zumindest für uns Menschen nicht richtig. Wir sind von Gott als vernünftige und freie Wesen geschaffen und können als solche dem Willen Gottes auch widerstehen. Diese Möglichkeit mag uns selbst kaum begreiflich sein und eher als „Unmöglichkeit" anmuten; sie ist gegeben und von der Bibel ständig vorausgesetzt.

Vernunft und Freiheit, jene Auszeichnungen, die ein Wesen zu einer *Person* machen, befähigen das Geschöpf, in wahrer Selbständigkeit, Selbstbestimmung, Selbstverantwortung zu handeln, und zwar nicht nur in — zumindest grundsätzlich gegebener, wenn auch konkret sehr oft eingeschränkter — Freiheit von den Einflüssen und Ursachen, die von der Umwelt ausgehen — eine freie Entscheidung ist zwar immer motiviert, aber diese Motive determinieren sie nicht endgültig —, sondern auch in Freiheit Gott gegenüber. Gott ist zwar der Schöpfer der Freiheit, in ihrem Dasein ist sie von ihm bleibend abhängig und könnte keinen Augenblick existieren, wenn Gott sie nicht wollte, er räumt ihr aber einen Raum der Eigenverantwortung ein, in dem sich seine Allmacht freiwillig gleichsam zurücknimmt. Das ist aber gerade die höchste Form der Allmacht, daß sie Wesen erschaffen kann, die ihr gegenüberstehen und ihr gegenüber gültig zu handeln vermögen. Daß hier die Allmacht Gottes am höchsten aufleuchtet, ist vor allem angesichts bestimmter theologischer Traditionen zu sagen, die annehmen, daß Gott allein letztlich alles wirke, was in der Welt geschieht.

Gott hat die personalen, mit Vernunft und Freiheit beschenkten Menschen deswegen erschaffen, weil er selbst mit ihnen in Dialog treten will. Er will sie ansprechen, ihnen gegenüber aus sich selbst herausgehen, sich selbst ihnen mitteilen, und das ist eben nur möglich, wenn sie fähig sind, auf diese göttliche Initiative in Freiheit einzugehen. Das soll der letzte Sinn des menschlichen Daseins sein: Im freien Gegenüber zu Gott, im Austausch mit seiner Liebe, sollen sich die Menschen in der Welt einwurzeln und sie durchformen, miteinander in Gemeinschaft treten und die von ihnen gestaltete Welt auf Gott ausrichten, sie einbeziehen in ihr Lob und ihren Dank, die sie dem Schöpfer weihen.

Die Freiheit schließt allerdings mit innerer Notwendigkeit die Möglichkeit ein, daß die mit ihr beschenkten Geschöpfe Gott die Antwort auch verweigern, sich in sich selbst verschließen und es ablehnen können, Gott als den Sinn ihrer Existenz anzuerkennen und ihr ganzes Dasein samt der von ihnen gestalteten Welt auf ihn hinzuordnen. Das ist die furchtbare Möglichkeit, der dunkle Abgrund der menschlichen Freiheit: Sie vermag „böse" zu werden. Es ist zwar sinnlos und letztlich unverständlich, daß der Mensch sich so entscheidet, daß er sich in Bosheit der Gemeinschaft mit Gott entzieht, aber wir Menschen wissen — oder ahnen zumindest —, daß wir das „können". Vielfach spielt sich diese Entscheidung nicht in bewußter Konfrontation mit Gott ab; daß es im Drama des Menschenlebens letztlich um Gott geht, kann dem einzelnen kaum oder gar nicht reflex bewußt sein. Karl Rahner hat darüber Erhellendes gesagt.[16] Die Bosheit, die sich im tiefsten und manchmal so-

[16] K. Rahner, Grundkurs des Glaubens. Einführung in den Begriff des Christentums, Freiburg 1976, 104—111.

zusagen im geheimen immer gegen Gott richtet, wird konkret und offenkundig im Verhältnis des Menschen zu den Mitmenschen und zur Welt: in Gleichgültigkeit, Neid, Haß und Hochmut und im Sich-Hineinwerfen in die beschriebenen negativen Naturtendenzen des Menschen, die so auch selbst böse werden; solange sie nicht von der freien Zustimmung des Menschen aufgenommen werden, solange sie also den Menschen gegen seinen Willen überwältigen, sind sie zwar Übel, aber nicht im eigentlichen Sinn böse. Das Böse hat erfahrungsgemäß furchtbare Folgen in der Welt, es zieht mannigfaltige Übel nach sich: Zerbrechen von menschlichen Beziehungen, Destabilisierung gesellschaftlicher Ordnungsstrukturen, psychische Zusammenbrüche, Kulturverfall, Mord, Krieg, Zerstörung der Umwelt, die heute mögliche atomare Katastrophe. Gäbe es nicht das Böse im Herzen des Menschen, so wäre die Welt zwar auch voller Schwierigkeiten und Probleme, aber sie hätten nicht jene Unlösbarkeit, mit der wir uns immer wieder konfrontiert sehen; diese erwächst letztlich aus der oft verborgen wirksamen Bosheit des Menschen. Wir sehen hier deutlich: Das Böse objektiviert sich in Übeln; es wirkt auf die Schöpfung destruktiv und verderblich.

e) Widergöttliche („satanische") Freiheit als Grund der kosmischen Übel. Die weiter oben besprochenen Übel der Todverfallenheit und Destruktivität der Schöpfung kann man nun freilich nicht auf die Schuld des Menschen zurückführen, da sie seinen Aktionsradius prinzipiell übersteigen.
Diese Übel können auch nicht auf die Ursünde und die daraus erwachsende „Erbschuld" zurückgehen. Diese Themen bleiben außerhalb unserer Überlegungen. Hier sei nur so viel gesagt, daß es bei diesem Fragenkomplex darum geht, daß das Böse, das der Mensch in seiner Geschichte von Anfang an konkret getan hat, die Situation der gesamten Menschheit nochmals verschlechtert. Wir reden aber von jenen Übeln, die der Ursünde, was immer darunter zu verstehen ist, bereits vorgegeben sind.
Wenn nun auch diese Übel nicht von Gott gewollt sind, nicht gewollt sein können, dann müssen auch sie ihren Grund in von Gott

abgewandter geschöpflicher Freiheit haben, da einzig geschöpfliche Freiheit Gott widerstehen und seinen Plänen zuwiderhandeln kann. Freilich muß es sich um die Freiheit von Geschöpfen handeln, deren Wirkmöglichkeiten anders und weitreichender sind als die der Menschen.

Von dieser Überzeugung ging auch Jesus aus, wenn er die Grundzüge der zeitgenössischen Lehre vom Satan und von den Dämonen übernahm. Angesichts der Anfechtungen, die die Gottbeziehung des Menschen bedrohen, und angesichts der Zerstörung menschlicher Integrität durch Krankheit und Besessenheit war es für ihn klar, daß in solchen Phänomenen gottwidrige Mächte am Werk sein müssen. An dieser Überzeugung Jesu möchte ich grundsätzlich festhalten, wobei freilich den Erkenntnissen der modernen Wissenschaft Rechnung getragen werden muß. Das bedeutet, daß man die genannten Erscheinungen nicht einer direkten Intervention dieser Mächte zuschreiben darf; bei einer solchen Beurteilung übersieht man die hier gegebenen psychologischen und parapsychologischen Faktoren. Das Wirken der bösen Geister ist hintergründiger anzusetzen. Dazu im folgenden einige Überlegungen.

Für eine christliche Theologie ist es selbstverständlich, daß es keine Wesen geben kann, die von vornherein böse sind. So läßt sich also auch von bösen Geistern nur in der Weise sprechen, daß man davon ausgeht, daß es sich in ihnen nur um ursprünglich zum Guten berufene Geschöpfe Gottes handeln kann. Das Böse ist immer das Nein zu Gott, das von freien Wesen gesprochen wird. Es setzt die ursprünglich zum Ja befähigte Freiheit des Geschöpfes voraus. So stellt sich also ganz allgemein die Frage nach einer möglichen Existenz und ursprünglich vom Schöpfer als positiv gewollten Funktion von Geistwesen. Die christliche Tradition spricht in diesem Zusammenhang von den *Engeln.*

Meiner Meinung nach zeigt sich uns Menschen die Existenz derartiger Wesen deutlicher von der negativen Seite. Der gottwidrige Zustand der Schöpfung zwingt geradezu zum Schluß, an ihm müsse eine negativ eingestellte geschöpfliche Freiheit schuld sein; wäre in der Schöpfung alles harmonisch, würde das Wirken der Geistwesen für uns wahrscheinlich im Verborgenen bleiben und uns gleichsam weniger auffallen. Wir können aber das negative Wirken von Geschöpfen nicht beschreiben, wenn wir es nicht als gegen das ihnen eigentlich zukommende positive Wirken gerichtet auffassen. Wir müssen uns also der Frage nach Existenz und Funktion der Engel stellen.

Auch die Antwort auf diese Frage darf nicht so gegeben werden, daß man sie einfach der Bibel entnimmt. Auch hier gilt das im Unterabschnitt b) Gesagte: Offenbarung ist keine Information über das Endliche, Geschöpfliche, sondern Selbstöffnung, Selbsterschließung Gottes, von wo aus freilich auch ein neues Licht auf den Sinn der Schöpfung fällt. So genügt es nicht, wenn man die zweifellos richtige Feststellung macht, die Bibel rede an vielen Stellen von den Engeln. Vielmehr ist zu fragen, ob diese biblische Überzeugung im Kern innerlich verbunden ist mit Gottes persönlichem Verhältnis zu seiner Schöpfung; ob es nicht geradezu zu erwarten ist, daß der Schöpfer sich derartige Geistwesen gegenübergestellt hat.

In diesem Sinn sagt ein katholischer Theologe: „Die Schöpfung ist...nur dann sinnvoll, wenn die in ihr wirksame Freiheit und Güte Gottes in der Schöpfung auch als solche wirklich ankommt, d.h. wenn sie als Freiheit und Güte erkannt und anerkannt wird. Der Sinn der Schöpfung wird also erst in und durch geschöpfliche Freiheit realisiert. Erst in freien Geschöpfen kommt die Schöpfung sozusagen zu sich selbst. Die Schöpfung ist nur dann keine sinnlose Selbstdemonstration der Macht Gottes und keine narzißtische Selbstbespiegelung der Herrlichkeit des Schöpfers, wenn in ihr das Lob und die Verherrlichung Gottes durch freie Wesen ertönt...Erst in der geschichtlichen Entscheidung geschöpflicher Freiheit verwirklicht sich der Sinn der Welt...Welt ist nicht einfach, sie geschieht und konstituiert sich geschichtlich im Dialog zwischen Gott und seinen freien Geschöpfen.“[17]

Wenn man sich unter dieser Voraussetzung die ungeheueren Weiten des Makrokosmos und die schwindelerregenden Abgründe des

[17] W. Kasper, Das theologische Problem des Bösen, in: W. Kasper/K. Lehmann (Hg.), Teufel, 54.

Mikrokosmos vergegenwärtigt, wenn man die lange Zeit und die Vielfalt der Evolution des Lebens auf der Erde bedenkt, dann muß man sich fragen: „Ist der Mensch allein der Partner und Bundesgenosse Gottes auf der Welt?" Kann er „das Ganze der Wirklichkeit vor Gott repräsentieren und verantworten? Reicht die anthropologische Perspektive aus angesichts der Tatsache, daß der Mensch das Ganze der Wirklichkeit weder extensiv noch intensiv jemals erfassen kann? Extensiv nicht, weil er nie alles erkennen kann, was ist; intensiv nicht, weil er nichts von dem, was er erkennt, ganz als das erkennt, was es ist." So ergibt sich als Antwort auf die gestellte Frage: „Der Mensch kann...unmöglich die Verantwortung für das Ganze der Wirklichkeit übernehmen."[18]
Ähnliche Gedanken finden sich auch in der evangelischen Theologie: „Unser Weltbild mit seiner grenzenlosen Weite stellt die Frage nach den übermenschlichen Geschöpfen Gottes viel dringlicher als die kleine Welt der Alten. Dürfen wir Menschen mit unserer eng begrenzten und gebundenen Geistigkeit uns selbstverständlich als das Höchste der persönlichen Kreatur ansehen? Sollte der Schöpfer für das Lob durch seine Geschöpfe allein auf uns angewiesen sein?"[19] Auch die neue protestantische Theologische Realenzyklopädie kommt in einer religionsphilosophischen Betrachtung der monotheistischen Religionen zum Ergebnis, es müsse „hinter ‚Wolken, Luft und Winden' (Paul Gerhardt) Wesen geben", „die sowohl Gott voll personhaft gegenüberstehen", „wie auch der Vielfalt der Phänomene von Natur und Geschichte entsprechen."[20]
Wenn die Bibel, freilich in zeitbedingter und mythologischer Vorstellungs- und Ausdrucksweise, davon ausgeht, die Schöpfung sei von geschaffenen Geistwesen geprägt und durchwirkt, dann ist das nach dem Gesagten nicht ganz und gar überholt. Mag es auch nicht mit absoluter, dogmatischer Gewißheit feststehen: Der eben dargestellte Gedankengang, dem manche theologische und philo-

18 Ebd., 54f.
19 P. Althaus, Wahrheit, 317.
20 U. Manns, Engel. Dogmatisch, in: Theologische Realenzyklopädie, Bd. 9, 1982, 611.

sophische Argumente angefügt werden könnten, spricht doch dafür, daß es im Universum geistig-subjektive Potenzen – eben die „Engel" – gibt, die die Wirklichkeit als Formprinzipien des Mikro- und Makrokosmos, aber auch, auf unserer Erde, der Struktur und Evolution der Natur, aber auch der menschlichen Kultur und Geschichte, bestimmen. Dabei werden die physikalischen, biologischen, psychologischen, soziologischen und anthropologischen Gesetzmäßigkeiten sicher nicht außer Kraft gesetzt, sondern an den Stellen weiterbestimmt, wo sie dafür offen sind: z. B. in der teilweisen Unbestimmtheit der Mikrovorgänge, in der Spontaneität der Tiere und in der menschlichen Wahlfreiheit. In dieser Sicht sind die Engel nicht „reine" Geister, die sich erst sekundär auf die kosmische Wirklichkeit beziehen, sondern sie sind von ihrem Wesen her auf sie hingeordnet, freilich auf ganz andere Art und Weise, als es beim Menschen der Fall ist, dessen Geist in der Materie seines Leibes zu sich kommt; die Engel durchformen demgegenüber eine größere Region von Materie auf einem höheren Niveau an Intensität und Differenziertheit.

Diese Ausführungen bleiben freilich ziemlich abstrakt. Unsere grundsätzliche Situation bezüglich der Engel ist so, daß wir erkenntnismäßig an ihre Sphäre nur indirekt rühren und ihr Wirken nur erahnen können. Angebliche Kontakte mit ihnen, wie sie z. B. von manchen Spiritisten behauptet werden, sind wohl, ähnlich wie die angeblichen Interventionen böser Geister bei Besessenheit, auf innerpsychische oder vielleicht auch paranormale Vorgänge zurückzuführen. Religiös-esoterische Weltanschauungen, die auf spiritistischen Offenbarungen jenseitiger Geistwesen beruhen, wie z. B. die Theosophie, entbehren darum einer tragfähigen Grundlage. Ähnliches gilt auch von manchen auf angeblichen Engelskundgaben beruhenden, vor allem im katholischen Raum zu beobachtenden Formen massiver Engelfrömmigkeit. Nach dem, was im 4. Kapitel über die Mächte ausgeführt wurde, ist eine derartige Engelverehrung auch theologisch problematisch.

In der von mir vertretenen Sicht dürfen wir das Wirken der Engel nicht im Randbereich des Okkulten suchen, sondern müssen es ganz allgemein in den Strukturen der Wirklichkeit annehmen, die von ihnen als geistigen Ordnungsmächten überformt werden.[21] Die deutlichsten Indizien scheinen mir wie gesagt aus dem Negativen zu kommen. Während das positive Wirken der Engel im allgemeinen unserer Erfahrung fast ganz verborgen bleibt, zeigt sich im destruktiven und widergöttlichen Charakter der kosmischen Übel mit einer schwer abweisbaren Evidenz der Einfluß einer bösen Macht, die der menschlichen Bosheit mit ihrer Zerstörungskraft analog ist, an Intensität und Größe des Einflußbereiches aber prinzipiell über das dem Menschen Mögliche hinausgeht.

Wir können freilich auch das destruktive Wirken der bösen Geister nicht näher bestimmen. Sicher ist nur, daß es nicht in einer Art Durchbrechung natürlicher Abläufe geschieht, wie man früher, vor allem im Blick auf das Phänomen der Besessenheit, ableiten zu können glaubte. Vielmehr scheinen diese Abläufe selbst zum Teil pervertiert. Die satanischen und dämonischen Mächte wirken weniger hier und jetzt, zumindest ist derartiges nicht feststellbar, sondern sie verbergen sich in eher hintergründiger Weise in strukturellen und gar nicht unmittelbar zu ändernden Dimensionen der Wirklichkeit. Dabei können wir Menschen gar nicht angeben, wo bei solchen Strukturen die dämonische Perversion beginnt; wir kennen die Wirklichkeit ja nur so, wie sie ist, mit ihren herrlichen und ihren erschreckenden Zügen, die wir nicht säuberlich voneinander scheiden können, weil sie oft dialektisch miteinander verbunden sind.

Wir wissen auch über die bösen Geister selbst nichts. Weder der Zeitpunkt, noch der Grund, noch die Tiefe ihres Falles ist uns bekannt. Wir können auch nicht sagen, ob die Engel in ihrer Entscheidung bereits total auf das Gute oder Böse festgelegt sind, was übrigens auch einige Schriften des Neuen Testamentes, im Gegensatz zur späteren Tradition, nicht anzunehmen scheinen. Die meisten konkreten Lehren der christlichen Überlieferung über solche Einzelheiten kommen daher, daß man die Schriftaussagen, zum Teil samt ihrem apokryphen Hintergrund, aus heutiger Sicht zu undifferenziert als unmittelbare Offenbarung verstand und dabei

[21] K. Rahner, Engel, 419ff.

über ihre Unterschiedlichkeit und Widersprüchlichkeit harmonisierend hinwegging. In all diesen Einzelheiten ist eine Entmythologisierung notwendig.
Dabei sollte man aber nach meiner Meinung daran festhalten, daß die bösen Geister auf den Menschen destruktiv und versucherisch wirken, freilich nicht durch unmittelbare und persönliche Intervention, sondern dadurch, daß der Mensch in der von ihnen infizierten Welt leben muß. Dadurch ist er erstens den genannten Übeln und Leiden ausgesetzt, zweitens aber wird ihm der Zustand der Welt auch zur Anfechtung zum Bösen, also zu Gleichgültigkeit, Neid, Rachsucht und Haß, vor allem aber auch zu Aberglaube oder Unglaube. Die Welt ist so, daß es weder leicht ist, ethisch zu handeln, noch auch zum wahren Gott zu finden und an ihn zu glauben. Die äußeren und inneren Gründe, die dagegen sprechen, sind zahlreich. Wir leben wie unter einer Dunstglocke, die das Licht Gottes nur gebrochen und verzerrt durchläßt, und wenn es doch einmal durchdringt, dann erhebt sich aus uns selbst die Abwehr.
Mit Heinrich Schlier kann man sagen: Die Mächte des Bösen „bemächtigen sich der Welt und der Menschen in der Weise, daß sie diese in ihrem Geiste erscheinen lassen, Welt und Dasein in ihrem Sinn herstellen, vorstellen, darstellen, zustellen, in jeder Weise in ihrem Geist auslegen. Sich selbst entziehend und verbergend offenbaren sie sich durch das Medium der Welt und des Daseins, deren sie sich bemächtigt haben und die sie an sich transzendieren."[22]
Zu dieser dämonologischen Begründung der Übel kann man sicher nicht unabhängig vom biblischen Gottesbild gelangen. Insofern stützt sie sich auf die Bibel. Sie übernimmt aus ihr aber nicht einfach die einschlägigen Aussagen, wie es die Fundamentalisten tun, die sagen, sie glaubten an den Teufel, weil uns die Bibel diesen Glauben vorschreibe. Da meiner Meinung nach die Existenz bestimmter Geschöpfe nicht direkter Gegenstand der Offenbarung und des Glaubens sein kann, sondern es hier um Gott selbst und sein Verhältnis zur Schöpfung geht, könnte es zunächst den Anschein ha-

[22] H. Schlier, Mächte, 63f.

ben, die biblische Rede von Engeln und Dämonen habe damit ja nichts zu tun und sei deswegen nicht glaubensverbindlich. Ich bin freilich zu einem anderen Ergebnis gekommen:

Im Licht des biblischen Gottesglaubens zeigte sich *einerseits,* daß das ganze Universum nur Sinn haben kann, wenn es von personalen Wesen durchformt wird, die es auf Gott ausrichten, eine Aufgabe, von der der Mensch allein restlos überfordert wäre, und *anderseits,* daß die Übel in der Welt nicht unmittelbar von Gott gewollt sein können. Aus diesen beiden Sätzen legt sich aber das nahe, was im gegenwärtigen Unterabschnitt entwickelt wurde.

Welt und Mensch stehen also unter der Gewalt des Bösen. Durch Jesus Christus ist freilich diese Situation grundsätzlich geändert worden. Es wurde nicht nur endgültig offenbar, daß Gott seine Schöpfung anders konzipierte, als sie in ihrer gegenwärtigen Verfassung ist; es wurde uns auch zugesagt, daß Gott das Heil seiner Schöpfung will und auch herbeiführen wird. Alle aus dem Bösen kommende Destruktion wird überwunden und die Schöpfung aus allen Übeln herausgeführt werden: „Dann sah ich einen neuen Himmel und eine neue Erde, denn der erste Himmel und die erste Erde sind vergangen, und auch das Meer ist nicht mehr. Ich sah die heilige Stadt, das neue Jerusalem, von Gott her aus dem Himmel herabkommen; sie war bereit wie eine Braut, die sich für ihren Mann geschmückt hat. Da hörte ich eine laute Stimme vom Thron her rufen: Seht, die Wohnung Gottes unter den Menschen! Er wird in ihrer Mitte wohnen, und sie werden sein Volk sein, und er, Gott, wird bei ihnen sein. Er wird alle Tränen von ihren Augen abwischen: Der Tod wird nicht mehr sein, keine Trauer, keine Klage, keine Mühsal. Denn was früher war, ist vergangen. Er, der auf dem Throne saß, sprach: Seht, ich mache alles neu" (Offb 21,1–5).

Das in Christus zugesagte Heil liegt aber nicht nur in der Zukunft; es bricht bereits jetzt an. Wo sich Menschen vom Geist Gottes erfassen lassen, beginnen die Übel zu weichen, und zwar nicht nur die aus der menschlichen Bosheit kommenden, sondern in gewissem Maß auch die dieser Bosheit vorausgehenden. Aus dem Glauben an Christus heraus kann ein Kranker gesund werden; aus dem Glauben heraus vermag der Mensch die chaotischen und destruktiven Triebe seiner Natur zu bändigen; damit hängt zusammen, daß aus dem Glauben heraus ungerechte und von Gewalt geprägte Gesellschaftsstrukturen humanisiert werden können. Durch die ganze Geschichte der Christenheit bis heute gibt es zahlreiche eindrucksvolle Beispiele für diese Dynamik des Reiches Gottes — leider scheinen heute die Skandale der Kirchengeschichte vielfach mehr Interesse hervorzurufen als diese Zeichen des Geistes und der Kraft.

Es ist freilich auch deutlich, daß in dieser Weltzeit die Macht des Bösen nicht einfach abgetan wird. Das Heil bricht nur dort an, wo Gottes Wort bei den Menschen Gehör findet, und auch dort nur teilweise und vorläufig. Die dämonisch infizierten Strukturen der Schöpfung bleiben wirksam. Die eben genannten Erfahrungen des Heils werden ihnen gleichsam abgetrotzt und scheinen oberflächlich und von außen gesehen oft wenig Gewicht zu haben im Vergleich zur dunklen Dynamik der den Menschen umgebenden und aus seinem Wesen hervorbrechenden Übel. Noch ist „die Schöpfung der Vergänglichkeit unterworfen", noch ist sie in „Sklaverei und Verlorenheit" — im Unterschied zu den Glaubenden, die bereits „als Erstlingsgabe den Geist haben", die aber auch noch auf die Erlösung ihres Leibes harren müssen. Die Befreiung der Schöpfung steht noch aus, aber sie darf zuversichtlich erhofft werden (vgl. Röm 8,20—23).

3. Zum Hexenwahn der frühen Neuzeit

In diesem Abschnitt geht es nicht um die Erörterung der Frage, wie auf dem Hintergrund der eben entwickelten Auffassungen die Hexen der frühen Neuzeit einzuschätzen sind. Wie ich im 1. Kapitel deutlich gemacht habe, war ja der damalige Hexenglaube im großen und ganzen ein Wahn. Es lassen sich zwar reale Anhaltspunkte, an denen sich der Wahn entzündet hat, vermuten. Es mag auch Menschen gegeben haben, die sich für Hexen hielten, aber die waren in der Minderzahl, und die meisten Angeklagten waren unschuldig. Hier interessiert mehr die Frage, was zur Mentalität der

Verfolger, vor allem der Angehörigen der kirchenamtlich gedeckten Inquisition, zu sagen ist und wie die Kirche heute mit dieser schwierigen Frage, die ihr ihre Geschichte stellt, umgehen könnte.

Es geht sicher zu weit, wenn man die Inquisitoren und Hexenrichter jener Zeit als Verbrecher bezeichnet. Es fehlte ihnen ja die Einsicht in die objektive Verwerflichkeit ihres Tuns — bei diesem Urteil wird davon abgesehen, daß es unter ihnen sicher auch solche gab, die ihr Amt dazu nützten, um sich an mißliebigen Personen zu rächen oder das Eigentum anderer an sich zu bringen. Die meisten aber waren subjektiv guten Gewissens und glaubten, den Willen Gottes zu erfüllen.

Der Hexenwahn mit all seinen schrecklichen Folgen entsprang einer kollektiven Verblendung, die sich damals weithin über Kirche und Gesellschaft gelegt hatte. Es ist zwar, wie manchmal entschuldigend festgestellt wird, wahr, daß diese Verblendung in abergläubischen Vorstellungen des Volkes wurzelte; es ist aber auch wahr, daß das kirchliche Amt, einschließlich mancher Päpste, und die Theologie nicht die Kraft hatten, diesem Aberglauben zu widerstehen. Die Theologen haben ihn vielmehr in eine systematische Theorie gegossen, und das kirchliche Amt ließ diese Theorie in die Praxis umsetzen, mit den bekannten verhängnisvollen Folgen.

Die Inquisitoren und Hexenrichter waren sich kaum bewußt, daß sich bei den Hexenfoltern sadistische Tendenzen austobten. Diese waren rationalisiert, und so galten die Foltern als notwendige Prozeduren, durch die man die Verstocktheit der „Hexen" brechen zu müssen glaubte. Auch die Frauenfeindschaft war rationalisiert; man glaubte, die Minderwertigkeit der Frau sei objektiv gegeben, und die Hierarchie zwischen den Geschlechtern hielt man für gottgewollt. Daß bei den Hexenprozessen auch perverse sexuelle Bedürfnisse befriedigt wurden, blieb vielfach der Verdrängung verfallen. Diese Rationalisierungen und Verdrängungen mögen zwar sicher die damaligen Menschen subjektiv entschuldigen, man muß sich aber die Frage stellen, welche Gründe in der religiösen und gesellschaftlichen Situation zu derartig starken unbewußten Strebungen und zu derartig massiver Abwehr geführt haben. Ich habe be-

reits im 1. Kapitel versucht, auf einen Teilaspekt dieser Frage kurz einzugehen.
Für die Kirchen gibt es da noch viel aufzuarbeiten. Für die katholische Kirche müßte sich der Papst selbst daran beteiligen.
Wie befreiend wäre es doch, wenn sich die Päpste in ihren Äußerungen nicht nur dann auf ihre Vorgänger bezögen, wenn sie sich auf ihre Lehren stützen, sondern manchmal, bei gegebenem Anlaß, auch, um sich von Äußerungen von Vorgängern zu distanzieren! So wäre etwa das Jahr 1984, das 500. Jahr nach dem Erscheinen der Hexenbulle Innozenz VIII., ein solcher Anlaß gewesen. Ebenso wird heute von vielen Menschen wohl nicht ganz zu Unrecht die Erwartung ausgesprochen, daß der Papst ein unmißverständliches und klares Wort des Bedauerns über die vielen unschuldigen Opfer des Wahns ausspricht und dabei die Rolle der Kirche nicht verharmlost. Man kann es Vertreterinnen der modernen Frauenbewegung kaum verdenken, wenn sie darauf besonders insistieren und die Vermutung aussprechen, daß in der Kirche immer noch eine Scheu bestehe, sich genauer mit der Frage auseinanderzusetzen, warum die Hexenverfolgungen vor allem gegen Frauen gerichtet gewesen seien. Diese Scheu sei aber ein Zeichen dafür, daß die damals wirkende unbewußte Dynamik auch heute noch in der Kirche nicht ganz überwunden und sowohl in den einzelnen als auch in der Sozialstruktur der Kirche in der Tiefe immer noch wirksam sei. Wenn auch keine Frauen mehr hingerichtet würden, die Abwertung der Frau sei eben immer noch virulent.
Dieser Verdacht ist ja wohl auch einer der Gründe dafür, daß sich heute manche Frauen aus der feministischen Bewegung Hexen nennen. Sie wollen damit signalisieren: Eigentlich halten die Vertreter des Patriarchats in Kirche und Gesellschaft uns auch heute noch für Hexen – und das in besonderem Maß deswegen, weil wir uns mit der uns als Frauen zugedachten Rolle nicht abfinden wollen. Indem sie sich Hexen nennen, wollen sie die Vertreter des Patriarchats auf ihre Einstellung ihnen gegenüber aufmerksam machen. Das glaubwürdigste Zeichen dafür, daß diese Vorwürfe unberechtigt sind, wäre eine offene Auseinandersetzung mit ihnen, was freilich ohne eine Auseinandersetzung mit der Geschichte nicht möglich ist.

Noch ein ganz konkreter Hinweis sei hier angefügt. Ich habe bereits die Aussage Johannes Pauls II. zitiert, daß die Kirche nicht leicht der Tendenz nachgebe, „viele Tatsachen direkt der Intervention des Teufels zuzuschreiben". Wäre hier nicht noch ein Zusatz darüber am Platz gewesen, daß die Kirche das leider nicht immer so gesehen hat und daß dieser unkritische Teufelsglaube Hunderttausenden von Menschen das Leben kostete?

4. Zu den modernen Hexen und Satanisten

In den Überlegungen des 3. Kapitels zu diesem Thema wurde bereits versucht, sich in die Mentalität der Angehörigen der Szene einzufühlen. Hier ist nun das nachzutragen, was dort bloß angedeutet wurde, nämlich der Aufweis des Destruktiven und Bösen sowie des vom Christentum Abweichenden in der Ideologie und der Praxis dieser Gruppierungen.

a) Der Protestsatanismus. Diese Form des Satanismus bleibt, wie gezeigt, im Bann des christlichen Glaubens. Die Grundhaltung des Protestsatanismus besteht in der Rebellion gegen Gott und, damit verbunden, im Ausbruch aus jeder irdischen Ordnung und in der Freisetzung von schrankenloser Aggression und zügelloser Triebhaftigkeit, die sich in Orgien mit sadistischen Zügen (Tier- und manchmal sogar Menschenopfer) entladen. Satan gilt als Anführer in diesem Protest; er leiht seinen Jüngern aber auch seine magischen Kräfte, damit sie den Protest wirkungsvoller in die Tat umsetzen können.
Hier scheint ein direkter Abfall von Gott vorzuliegen. Wie aber bereits ausgeführt wurde, handelt es sich zunächst um einen bis zu einem gewissen Grad verständlichen Protest gegen von den Angehörigen dieser Kulte erfahrene Repression und gegen ein als repressiv verstandenes Gottesbild. Man darf vielleicht sagen: Diese Satanisten haben sich nicht vom wahren Gott getrennt, sondern von einer inadäquaten Gottesvorstellung.
Das Gefährliche ist freilich, daß in dieser Haltung der Rebellion

nicht nur die genannten berechtigten Desiderate — nach Freiheit und Selbstverwirklichung — eingeklagt werden, sondern daß dabei die im vorliegenden Kapitel beschriebene Exzessivität und Destruktivität, die der Mensch in sich trägt, zum Ausbruch kommt. Je mehr sich der Mensch aber damit identifiziert, sich in diese entfesselten Kräfte hineinstürzt, desto mehr stellt er sich aus den natürlichen Gemeinschaftsformen und der Gesellschaft heraus, desto mehr bringt er seine eigene psychische Stabilität in die Gefahr des psychotischen Zusammenbruchs, desto mehr wird er aber auch den wahren Gott, sollte er ihm, etwa durch ein Zusammentreffen mit einem überzeugten Christen, begegnen, als Feind erleben. Der Satanist, der sich, wie ich formuliert habe, mit der ganzen Wucht einer gegen Gott gerichteten Ekstase selbst verwirklicht, gerät in eine solche Verblendung, daß er nicht mehr realisieren kann, daß ihm im Evangelium nicht wieder nur Repression und Tabus entgegentreten, sondern die wahre Freiheit und das wahre Leben.
Was die persönliche Schuld der einzelnen Anhänger dieses Satanismus betrifft, so steht uns ein Urteil nicht zu. Es mag sein, daß sie in ihrem Herzen trotz ihrer Verblendung ahnen, daß Gott in Wirklichkeit doch anders ist als das Gottesbild, gegen das sie sich auflehnen. Es mag vielleicht sogar sein, daß sie das klar erkennen und an ihrem Protest festhalten. Es mag sein, daß sie helle Momente hatten, in denen ihnen die Verwerflichkeit ihrer jeder Humanität Hohn sprechenden Haltungen und Taten aufging und sie sich bemühten, diese unangenehme Erkenntnis so schnell wie möglich zu unterdrücken, bis sie wieder verdrängt war. Das alles ist nicht von der Hand zu weisen. Wir können es aber nicht sicher wissen. So gilt Jesu Verbot zu richten (vgl. Mt 7,1) auch, was die persönliche Haltung dieser Menschen betrifft. Das ändert freilich nichts daran, daß gesagt werden muß: Objektiv ist ihre Ideologie auf der Ebene des Glaubens, der Humanität und der psychischen Stabilität destruktiv; sie ist antichristlich, unmenschlich und führt zur Selbstzerstörung.

b) Der gnostische Satanismus. Hier handelt es sich nicht um einen Protest auf bleibend christlicher Grundlage, sondern um eine eigene Religion, die als satanistischer Pantheismus gekennzeichnet wurde. Ich habe freilich festgestellt, daß man sowohl im Blick auf Aleister Crowley als auch auf die Grundhaltung der Gruppen, die zu diesem Satanismus gehören, vermuten darf, daß diese Religion aus einem Protest gegen das Christentum erwachsen und stark von diesem Protest geprägt ist. Dafür spricht einmal die Lebensgeschichte Crowleys und die Tatsache, daß er sich mit dem Symbol des Abfalls vom christlichen Gott, eben dem Satan, identifiziert hat; dafür spricht auch die Mentalität des Kampfes gegen das Christentum, wie sie sich etwa im Glaubensbekenntnis der „Church of Satan" manifestiert; vor allem aber ist die innere Haltung des satanistischen Pantheismus selbst zu nennen: im Gegensatz zu anderen pantheistischen Religionen, in denen sich der einzelne in einer oft geradezu an Demut gemahnenden Einstellung als Tropfen im göttlichen Ozean des Ganzen fühlt, tritt dieser Pantheismus in anmaßender Form auf: Der einzelne will hier durch seine magische Macht die Göttlichkeit des Alls gleichsam in sich konzentrieren. Jeder einzelne, so sagt Crowley, ist königlich, ist der Mittelpunkt des Universums. Dieser Satz trägt freilich einen inneren Widerspruch in sich. Es ist wohl kaum möglich, daß jeder Mittelpunkt ist. Individualismus und Pantheismus sind unvereinbar, aber das wird von Crowley nicht beachtet.

Man fühlt sich angesichts des Crowleyanismus erinnert an das Wort, das die Paradiesesschlange bei der Versuchung Evas zu ihr sagt: „Ihr werdet wie Gott und erkennt Gut und Böse" (Gen 3,5). Es geht hier nicht nur um Protest, sondern der Mensch erfährt in sich die Versuchung, selbst wie Gott zu werden und in göttlicher Souveränität zu wissen und auch zu bestimmen, was gut und böse ist. Ob nicht der gnostische Satanismus versucht hat, den Abfall von Gott hinter sich zu lassen, ihn ins Unbewußte zu verdrängen, und selbst Gott zu sein? Herausgekommen ist dabei freilich nur ein wahnhaftes Zerrbild des Gottseins; der Wille zu absoluter Autonomie führte zum eben genannten widerspruchsvollen und in sich unmöglichen Pendeln zwischen absoluter Selbstherrlichkeit und Pantheismus; der Wille zu absoluter Lebensfülle endete in der Fixierung auf die Sexualität; der Wille zur Allmacht trieb magischen

Wahn aus sich hervor, in dem vielleicht sogar wirklich gegebene paranormale Kräfte maßlos überschätzt und als Teilhabe an der Allmacht verstanden werden.

Objektiv geht also allem Anschein nach der gnostische Satanismus in seiner Bosheit einen Schritt weiter als der Protestsatanismus. Er tritt zwar als eine eigene Religion auf, indem er neugnostische Denkformen benützt; sieht man aber genauer zu, dann scheinen diese Denkformen nur eine sekundäre Rationalisierung für das zu sein, was der gnostische Satanismus eigentlich will: Er ist der Versuch des von Gott abgefallenen Menschen, den Abfall von Gott gleichsam nach vorne zu überwinden und selbst Gott zu sein.

Es bleibt natürlich offen, wie weit die Anhänger des gnostischen Satanismus das auch subjektiv realisieren. Die Tatsache, daß sich ein Mensch von solchen Ideen faszinieren läßt und sich einer satanistischen Gruppe anschließt, beweist ja noch lange nicht, daß er sich die Ideologie nun auch wirklich ganz und gar zu eigen macht. Wir dürfen uns auch hier kein Urteil über die subjektive Schuld des einzelnen erlauben.

Die objektiven Auswirkungen dieses Satanismus sind im übrigen ähnlich wie beim Protestsatanismus. Auch der gnostische Satanismus führt in eine Verblendung, die es schwer macht, die im Evangelium dem Menschen angebotene Befreiung und Lebensfülle zu erkennen; auch er macht unfähig zu wahrer Humanität und Ethik; auch er bringt die Gefahr der Auflösung des Ich, des psychischen Zusammenbruches mit sich.

c) Der feministische Pantheismus der neuen Hexen. Wie bereits öfter erwähnt, müssen diese Gruppen der Szene grundsätzlich anders gesehen werden als die Satanisten, trotz aller Berührungspunkte und Übergänge, die es in concreto geben mag. Der von ihnen vertretene feministische Pantheismus ist weder wie beim Protestsatanismus ein nackter Protest gegen Gott, noch hat er die Attitüde von anmaßender Vermessenheit, die wir beim gnostischen Satanismus kennengelernt haben. Als Pantheismus bleibt er freilich der christlichen Sicht des Gott-Welt-Verhältnisses entgegengesetzt, woraus seine Anhänger ja selber kein Hehl machen. Über diese und andere

Fragen muß mit den Vertreterinnen der neuen Hexen ein Dialog versucht werden, zu dem manche von ihnen auch fähig und bereit sind, im Gegensatz zu den dialogunfähigen Satanisten.
Wie dem Pantheismus im allgemeinen gegenüber ist auch hier die *Transzendenz* Gottes zu betonen. Gott ist der Schöpfer der Welt und fällt mit ihr in keiner Weise zusammen. Er hat sie als sein Geschöpf sich gegenübergestellt. Dieser Gegenüberstand erreicht seine höchste Zuspitzung in den freien Personen, die von Gott zu von ihnen selbst zu verantwortender freier Entscheidung ermächtigt sind, der er selbst bleibende Gültigkeit beimißt.
Gott steht also seiner Schöpfung in alle Ewigkeit als der Ganz-Andere gegenüber. Sätze wie: „Ich bin Göttin, du bist Gott", wie sie im Wicca-Kult formuliert werden, sind aus christlicher Sicht abzulehnen.
Dieser transzendente Gott ist seiner Schöpfung trotz und in seiner Andersheit ganz nahe: einmal als die Quelle ihres Daseins: Wenn das Geschöpf in seiner Selbsterfahrung bis zum Grund seines Seins hinabsteigt, was uns Menschen freilich nur annäherungsweise möglich ist, dann rührt es an Gott, von dessen schöpferischer Allmacht es getragen ist; sodann aber auch als Sinn und Ziel des Geschöpfes: Das zeigt sich uns in der christlichen Offenbarung, in der uns Gott erfahren läßt, daß er uns nicht nur das Dasein schenkt, sondern uns teilhaben lassen will an seinem Leben. Aber auch in dieser innigen Einheit zwischen Gott und Mensch, in der Gott selbst durch seinen Geist im Menschen Wohnung nimmt, wird die Differenz, das Ich—Du zwischen dem Schöpfer und seinem Geschöpf, nicht aufgehoben.
Diese Betonung der Transzendenz Gottes ist keineswegs typisch patriarchalisch und geht nicht auf Kosten der Frauen, wie man von feministischen Theologinnen hören kann. Denn dieser transzendente Gott muß eben in der bereits früher angedeuteten Weise so gedacht werden, daß sich sowohl der Mann als auch die Frau als sein Ebenbild verstehen können, d.h. es müssen in analoger Weise von ihm männliche und weibliche Eigenschaften ausgesagt werden, unter Beachtung der Regeln und Vorsichtsmaßnahmen, die für das Sprechen über Gott gelten.

Der Pantheismus von Wicca und von manchen esoterischen Feministinnen lebt freilich aus jenem pantheistischen Grundgefühl, wonach der Mensch, weil er letztlich mit dem Göttlichen identisch ist, im Kern absolut ist. Es fehlt hier das Verständnis für das Drama, das die menschliche Geschichte deswegen ist, weil sie sich letztlich zwischen der Freiheit Gottes und der geschöpflichen Freiheit abspielt. Es fehlt das Verständnis für die Tiefe der Übel, von denen die Welt verunstaltet wird, und vor allem für den Abgrund des Bösen als Abfall der Freiheit von Gott und letztlich als Quelle der sonstigen Übel. Da für das pantheistische Denken Gott und Welt zusammenfallen, hat es keine Begriffe für einen solchen Abfall, und so sieht es das Böse immer nur als die dunkle Seite im Göttlichen, aber nicht als eigentlich destruktiv und sinnwidrig. Aus diesem Grund kommt es auch zur erwähnten Koketterie von Wicca-Gruppen mit dem Satanismus, dessen zumindest objektiv gelehrte und praktizierte Bosheit hier nicht voll durchschaut wird.
Der Pantheismus führt aber auch zur magischen Überbewertung des Paranormalen, wobei es hier freilich wenigstens im allgemeinen nicht so destruktiv eingesetzt wird wie im Satanismus. Es wird aber als quasi-empirischer Beweis für die Göttlichkeit des Menschen verstanden, was natürlich dazu führt, daß paranormale Fähigkeiten, die es in Hexenzirkeln das eine oder andere Mal geben mag, maßlos überschätzt werden. Wie die Zeugnisse mancher Wicca-Leute beweisen, kommt es diesbezüglich wie beim Satanismus zu ans Wahnhafte grenzenden Illusionen.

5. *Zur Besessenheit*

Aus dem, was im 3. und im vorliegenden Kapitel entwickelt wurde, ist meine Position zur Besessenheit bereits deutlich geworden. Ich gehe davon aus, daß auch bei jenen psychischen Ausnahmezuständen, bei denen man früher auf die persönliche Anwesenheit von Dämonen schließen zu können glaubte, diese Erklärung nicht am Platz ist. In den Überlegungen dieses Abschnittes geht es mir um den Aufweis, daß jene Christen, die an der dämonologischen Erklärung derartiger Ausnahmezustände festhalten, vielfach auch recht bedenkliche theologische Aussagen über Gott machen: Das *Gottesbild* kann geradezu *satanisiert* werden. Das im folgenden Gesagte gilt natürlich nicht für alle, die ein eher konkretes Bild vom Wirken böser Geister haben. In der Charismatischen Erneuerung habe ich Menschen getroffen, die ihren Dämonenglauben überhaupt nicht mit derartigen Ansichten verbinden.

Wenn ein Dämon aus einem Besessenen vertrieben werden soll, ist — in der Sicht der Betroffenen und Beteiligten — der Exorzist die nächste Ursache für das Ausfahren des bösen Geistes. Er kämpft gegen den Dämon an, und dieser Kampf kann ihm alles abverlangen. Er muß freilich eine besondere Vollmacht haben, die mehr amtlich oder mehr charismatisch konzipiert sein kann. Diese Vollmacht bedeutet, daß er wirksam im Namen Gottes bzw. Jesu Christi aufzutreten vermag. So ist also bei einem Exorzismus immer in besonderer Weise Gott selbst am Werk. Er ist es letztlich, der durch den Exorzisten den Dämon vertreibt; der Exorzist ist Organ eines speziellen göttlichen Handelns.

Was ist aber dann, wenn der Dämon nicht gehorcht? Das kann daran liegen, daß der Exorzist durch schwachen Glauben oder ethische Mängel ein unzureichendes Werkzeug war; freilich kann es auch daher kommen, daß Gott den Dämon nicht vertreiben wollte. Beim Fall Klingenberg rechnete man zum Schluß ganz ausdrücklich mit dieser Möglichkeit, und Anneliese Michels Dämonen äußerten sich klar in diese Richtung (vgl. Beisp. 5).

Adolf Rodewyk stellt eindeutig fest, daß die Dämonen, was das Ausfahren betrifft, unter dem speziellen Befehl Gottes stünden: Den Zeitpunkt des Ausfahrens wisse in manchen Fällen zunächst nicht einmal der Teufel selbst, weil er ihm von Gott noch nicht mitgeteilt worden sei.[23]

Aber auch der Beginn der Besessenheit, also das Einfahren der Dämonen, erfolgt mit „besonderer Zulassung Gottes“, wie Rodewyk sich ausdrückt. Gott „muß erst dem Teufel die Erlaubnis geben, einzufahren...“[24] Es handelt sich hier also nicht um jene ganz all-

23 A. Rodewyk, Die dämonische Besessenheit, 131.
24 Ebd., 127.

gemeine Zulassung des Bösen, die Gott um der Freiheit seiner Geschöpfe willen übt, sondern um einen ganz speziellen Akt Gottes, letztlich also um mehr als um eine bloße Zulassung. Gott verfolgt mit diesem Akt sogar einen bestimmten Zweck: Strafe für Sünden[25], Verherrlichung seiner Kraft[26] — offenbar ist gemeint, seiner Macht über die Dämonen —, äußerste Bewährung des Menschen im Kampf gegen den Teufel oder Sühne für die Sünden anderer durch die Leiden der Besessenheit, in diesem letztgenannten zweifachen Sinn kann die Besessenheit sogar von Menschen im freiwilligen Gehorsam gegen Gott, der von ihnen dieses Opfer erwartet, angenommen oder sogar erbetet werden.[27]

So verstanden etwa Anneliese Michel und die Menschen um sie ihre Besessenheit als von Gott über sie verhängte „Sühnebesessenheit"; deswegen hätten die Dämonen am Schluß erklärt, sie wollten ausfahren, dürften aber nicht, weil es ihnen von Gott bzw. von Maria verboten sei. Willem C. van Dam ist manchen dieser Annahmen gegenüber als Protestant verständlicherweise sehr zurückhaltend, aber grundsätzlich gilt auch für ihn: „Gott wird...mit der Besessenheit ein Ziel haben. Nur wenn dieses Ziel erreicht ist, wird die Besessenheit enden."[28]

Was ist das doch für ein Gottesbild! Gott mit dem Satan als Zuchtrute oder als Reinigungsfeuer in der Hand! Sieht man denn nicht, daß ein Gott, der positiv will, daß der Satan einen Menschen quält — und das muß man annehmen, wenn Gott die Besessenheit „speziell" erlaubt —, selbst satanische Züge bekommt? Der Satan quält ja in seinem Auftrag! Da würde es dann keinen Unterschied mehr machen, wenn Gott seine Absicht, den Menschen leiden zu lassen, selbst exekutierte. Ein solches Gottesbild hat einen sadistischen Zug. Gott gerät in den Schatten seines Zuchtmeisters, dessen Menschenfeindlichkeit er planvoll einsetzt. Die Verkünder eines solchen Gottes dürfen sich nicht wundern, wenn sich Menschen wei-

25 Ebd., 128.
26 Ebd., 131.
27 Ebd., 135f.
28 W. C. van Dam, Dämonen und Besessene, 266.

gern, an ihn zu glauben und ihm zu vertrauen. Auch die unbewußte Dynamik eines sogenannten Besessenen kann dadurch noch mehr in ihrem Widerstand gegen Gott verfestigt werden.
Es hilft gar nichts, wenn man versichert, Gott lasse ja die Besessenheit nur zu. Der Begriff der Zulassung hat sicher seinen guten Sinn. Gott läßt in der Tat die bösen Handlungen seiner freien Geschöpfe zu. Diese geschehen aber dann auch wirklich *gegen* seinen Willen. Gott duldet sie, wie gesagt, um des Wertes der Freiheit willen; er nimmt sie deswegen gleichsam in Kauf. In dem Moment aber, wo man davon ausgeht, daß Gott das von ihm „Zugelassene" ja eigentlich doch wolle, wird es sinnlos, noch von Zulassung zu reden.
An der bereits genannten Konsequenz führt kein Weg vorbei: Wenn Gott die Besessenheit positiv verfügt, dann will er sie. Das ist aber ebenso gotteslästerlich gedacht, wie wenn man annähme, Gott habe die Leiden der Juden in den Gaskammern oder die sinnlosen Qualen der Hexen der frühen Neuzeit gewollt. Hier kann doch nur eines gelten: In all diesen Fällen steht Gott ganz und gar auf der Seite der Gequälten. Er verabscheut nicht nur die Bosheit der Geschöpfe, seien es nun Menschen oder Dämonen, die andere quälen, sondern er ist auch zutiefst solidarisch mit den Leiden derer, die gemartert werden, sonst bräuchte er ja auch die Bosheit gar nicht zu verabscheuen, besteht sie doch darin, anderen Leid zuzufügen.
Auch der Begriff der Strafe hilft nicht weiter. Mit Recht nimmt man heute in der Theologie weithin an, daß Gott Strafe nicht aktiv verhängt, sondern daß sein Strafen darin besteht, daß jeder, der Böses tut, die schrecklichen Folgen des Bösen, die sich auf lange Sicht einstellen, erleben wird, bis hin zur radikalen Trennung von Gott und zu absoluter Zurückgeworfenheit auf sich selbst in tödlicher Einsamkeit. Wer sich der Liebe verweigert, erfährt schließlich, daß er ohne sie nicht sein kann, weil er sich von allen Quellen des Sinns und der Freude abschneidet. Für eine solche Sicht der Strafe ist es nicht denkbar, daß Gott in gewissen Fällen aktiv Dämonen sozusagen als „Strafengel" aussendet.
Wenn man also wirklich glaubt — in Gegensatz zu der in diesem Buch vertretenen Meinung —, daß es konkrete Besessenheit gibt,

dann sollte man wenigstens von diesen eben dargestellten theologischen Meinungen Abstand nehmen und den Satan und die Dämonen nicht als Handlanger Gottes sehen, sondern als böse Geister, die — wie die Bosheit der Menschen auch — gegen den Willen Gottes ihr Unwesen treiben und bei denen es nur darum gehen kann, daß sie vertrieben werden müssen. Das wäre auch ganz im Sinn des Evangeliums, dem der Gedanke, Gott wolle, daß ein Mensch besessen bleibe, völlig fremd ist.

Hinter der von mir vertretenen Meinung, Gott könne die Besessenheit auf keinen Fall wollen, steht die grundsätzliche Auffassung, daß Gott das Leid ganz allgemein nicht positiv will. Leid gehört zu den Übeln, die zum Teil in einer endlichen Welt unvermeidlich sein dürften, zu einem gewichtigen Teil aber auch in der in diesem Kapitel skizzierten Art und Weise auf die Bosheit von Geschöpfen zurückgeht. Wenn Menschen im Leid beglückende mitmenschliche Erfahrungen machen und tiefe Begegnungen mit Gott erleben, dann liegt das nicht daran, *daß* sie leiden, sondern daß sie erfahren, daß sie im Dunkel des Leidens von ihren Mitmenschen nicht alleingelassen werden und Gott ihnen in besonderer Weise seine Liebe zuwendet. Das Leid ist aber nicht von Gott dazu gewollt, *damit* Menschen solche Erfahrungen machen können; es ist vielmehr umgekehrt: *nachdem* es das Leid nun einmal gibt, fühlen wir Menschen uns aufgerufen, den Leidenden zu helfen, und erbarmt Gott sich seiner gequälten Kreatur. Wir finden es mit Recht verwerflich, wenn einer einem anderen Schmerz zufügt, damit er ihm daraufhin seine besondere Zuwendung zeigen kann — Gott aber sollte für sich anders denken? Hier kommen wir freilich in eine weitläufige und tiefe Thematik. Unser vorgegebener Rahmen erlaubt es nicht, sie weiter zu verfolgen.[29]

[29] Zur Thematik vgl. Ch. Journet, Vom Geheimnis des Übels. Theologischer Essay, Essen 1963; G. Greshake, Der Preis der Liebe. Besinnung über das Leid, Freiburg 1978; J. B. Bratschen, Warum läßt der gute Gott uns leiden?, Freiburg 1986.

6. *Im Bann des Satans?*

a) Theologische Thesen. Im folgenden beziehe ich mich auf die Schlußthesen des 4. Kapitels.

1. Die neutestamentliche Lehre vom Satan und von den Dämonen ist insofern festzuhalten, als die menschliche Situation in der Welt vom Einfluß von von Gott abgefallenen freien Geschöpfen geprägt ist. Die vielen Übel, die der Mensch wahrnimmt, können nämlich bei weitem nicht zur Gänze als mit der Endlichkeit der Welt notwendig verbunden angesehen werden; sie können aber auch von einem Gott der Weisheit, Güte und Liebe letztlich nicht gewollt sein. So muß ihr Urheber in *geschaffener Freiheit* liegen, die von Gott abfallen und gegen seinen Willen handeln kann.
2. Der Einfluß dieser Mächte des Bösen ist, wie das Wirken der Engel überhaupt, nicht in der vom Neuen Testament vorausgesetzten Unmittelbarkeit zu denken. Die Auffassung, der Mensch habe direkt mit ihnen zu tun, ist eine zeitbedingte Interpretation gewisser Erfahrungen und Phänomene. Demgegenüber ist die Dynamik der bösen Geister als in vom Menschen aus gesehen *hintergründigen Dimensionen der Welt wirksam* und als in ihren *Strukturen objektiviert* zu betrachten. Die Welt bekommt dadurch destruktive, ja chaotische Züge.
3. Die daraus resultierende Verfaßtheit der den Menschen umgebenden und ihn selbst mitkonstituierenden Wirklichkeit beeinträchtigt seine Integrität — in etwa die Funktion der neutestamentlichen „Dämonen" —, sie wird ihm aber auch zur Versuchung zum Herausfallen aus der Beziehung zu Gott und zur Identifikation mit ihren destruktiven Strukturen — was das Neue Testament mehr der Wirksamkeit des „Satans" und der „Mächte" zuschreibt.
4. Das „Satanische" der Versuchung der menschlichen Freiheit zum Bösen und das „Dämonische" der Destruktion der menschlichen Integrität gehören zusammen und entspringen derselben widergöttlichen Dynamik. Wir wissen aber nichts Näheres über Beschaffenheit und Zahl der Wesen, die diese Dynamik tragen. Diesbezügliche Angaben des Neuen Testamentes entspringen zeitbedingten Vorstellungen.

5. Satanisten und Besessene stehen insofern „im Bann des Satans", als die an ihnen zu beobachtenden Haltungen und Zustände nur in einer von den Mächten der Bosheit infizierten Welt existieren können. Weder beim Satanismus noch bei der Besessenheit besteht jedoch Grund zur Annahme, hier liege ein besonderer Bann der Betroffenen durch böse Geister vor, hier habe man es mit ihnen gleichsam von Angesicht zu Angesicht zu tun. Eine derartige Interpretation übersieht, wie weitgehend sich die hier vorliegenden Phänomene durch psychologische, soziologische, parapsychologische und anthropologische Erwägungen erhellen lassen einschließlich der Bosheit, die man ja nie direkt konstatieren kann, die aber, soweit sie zu vermuten ist, bei aller Irrationalität doch eindeutig menschliche Bosheit bleibt.

6. In Jesus Christus ist dem Menschen zugesagt, daß Gott seine Schöpfung nicht den Mächten der Bosheit überläßt und die von ihnen infizierten Strukturen der Wirklichkeit heilen und vollenden will. Heil und Befreiung kommen endgültig und total erst mit dem Ende der Geschichte; sie brechen aber bereits jetzt punktuell und vorläufig an, und zwar überall dort, wo sich Menschen glaubend an Jesus anschließen.

7. Die von der widergöttlichen Dynamik der Mächte des Bösen infizierten Strukturen der Schöpfung lassen sich zwar in dieser Weltzeit nicht grundsätzlich aufheben, wohl aber kann der Mensch in der Kraft des Glaubens, der allein ihm absoluten Halt und letztgültige Orientierung geben kann, und unter Einsatz der entsprechenden natürlichen, z.B. medizinischen, psychotherapeutischen, sozialen und politischen Strategien gegen sie angehen. Die Geschichte der Kirche zeigt, daß dabei immer wieder „Zeichen und Wunder" geschehen; daß die verborgene Kraft des Reiches Gottes in manchmal überraschender und bestürzender Weise erfahrbar wird.

8. Jesu Exorzismen waren nicht buchstäblich zu verstehende Vertreibungen böser Geister. Die Betroffenen litten an schweren psychischen Störungen, aus denen sie nicht der Exorzismus als solcher, sondern die in Jesus erfahrbare Macht und Güte Gottes befreite. Es handelte sich hier um charismatische Heilungen.[30]

9. Daß Jesus in dieser Frage als Kind seiner Zeit dachte und die Exorzismen in zeitbedingten Kategorien deutete, tut seiner Gottessohnschaft keinen Abbruch. Es war ja nicht seine Sendung, uns über die Struktur irdischer Vorgänge aufzuklären, auch nicht über die Existenz und die Wirkweise dieser oder jener Geistwesen, sondern uns Gottes Heilsplan mit der Welt zu verkünden. Allein hierin ist er unfehlbar und letzter Maßstab und letzte Richtschnur, im übrigen aber ist er eingebettet in die Denk- und Vorstellungsmuster seiner Zeit.

b) Praktische Konsequenzen. Für den pastoralen Umgang mit Menschen, die sich von der Szene faszinieren lassen oder gar ihr angehören, ergibt sich, daß man sich ihnen nicht mit der „Teufelsbrille" nähern, also nicht hinter konkreten Phänomenen den Teufel und seine Helfer suchen sollte. Was not tut, ist eine nüchterne Interpretation dessen, was in der Szene vor sich geht. Eine solche Interpretation ist ohne eine gewisse Distanz zu bestimmten kirchlich-theologischen Traditionen und ohne psychologische, soziologische und auch parapsychologische Kenntnisse freilich nicht zu leisten.
Es ist nun allerdings sehr fraglich, wie weit sich magisch denkende Menschen von derartigen Argumenten beeinflussen lassen. Vielfach ist die Chance nicht sehr groß, da die tiefenpsychologischen Wurzeln, die den Menschen in einer magischen Einstellung festhalten, nicht leicht aufzudecken und bewußt zu machen sind. Ebenso schwierig ist es, einem Menschen, der sich, wie es beim Satanismus oft geschieht, mit exzessiven und destruktiven Trieben seiner Tiefenschicht identifiziert hat, klar zu machen, daß hierin nicht die wahre Freiheit und das wahre Leben liegen. Wenn ihm dies aber doch aufgeht, dann ist damit noch nicht garantiert, daß er von der Befriedigung dieser archaischen Triebe auch loskommt, noch dazu, wenn sie mit magischer Faszination umgeben ist.
Vor allem verbirgt sich hinter den genannten Tendenzen oft die menschliche Bosheit, die ja letztlich darin besteht, daß der Mensch sich nicht als ganz und gar von Gott herkommend und auf ihn hin-

[30] Vgl. zu dieser Thematik C. Weis, Begnadet, 132—150.

geordnet verstehen will, daß er es ablehnt, in Gott absoluten Stand zu suchen. Statt dessen verabsolutiert er geschöpfliche Wirklichkeiten, über die er verfügen zu können glaubt. Wenn nun die Illusion von magischer Macht oder die Fixierung auf die Lust — beides begegnete uns im Satanismus — von derartiger Bosheit motiviert sind, sind sie, solange die Bosheit anhält, gegen verändernden Einfluß immun. Verstockung und Verblendung machen dann den Menschen unzugänglich. Nochmals sei darauf hingewiesen, daß man sich kein Urteil anmaßen darf, ob in einem konkreten Fall derartige Bosheit vorliegt.

Heilend, lösend und bekehrend wirken hier nie Aufklärung und menschliche Zuwendung allein; letztlich kommt es darauf an, daß der Betroffene die Erfahrung macht, vom Geist Gottes berührt zu werden. Wer hier helfen will, braucht nicht nur wissenschaftliche und menschliche Kompetenz, sondern er muß selbst in der Wirklichkeit des Geistes leben. Das alles zusammen macht das Charisma des Seelsorgers aus.

Was die Besessenheit betrifft, so gilt vieles von dem, was eben gesagt wurde, in analoger Weise. Auch dieses Phänomen ist ohne Teufelsbrille anzugehen. Auch hier ist alles miteinzubeziehen, was die Wissenschaft zur Erklärung auch sehr außergewöhnlicher Erscheinungen heute anzubieten hat. Auch hier wird sich die Schwierigkeit ergeben, daß die Betroffenen und ihre Umgebung für derartige Argumente nicht zugänglich sind. Das magische Denken erweist sich auch in solchen Fällen als schwer zu erschüttern.

In extremen Situationen wird nur ein Seelsorger helfen können, der den Willen und die Fähigkeit hat, sich in die Weltsicht der Betroffenen einzufühlen und sie behutsam von innen her zu öffnen. Platte Aufklärung wirkt auf alle Fälle kontraproduktiv. Eigene psychotherapeutische Qualifikationen des Seelsorgers oder die Zusammenarbeit mit einem Psychotherapeuten oder Psychiater sind unerläßlich. Letztlich wird es freilich auch hier auf das eben Genannte seelsorgliche Charisma ankommen.

Mag der Exorzismus in Form einer persönlichen Konfrontation zwischen dem Seelsorger und dem Satan bzw. den Dämonen auch — bei entsprechender psychischer Disposition des Betroffenen und in einem entsprechenden sozialen Umfeld – sich manchmal als beschränkt hilfreich erweisen, so verfestigt er doch im ganzen ein überholtes Weltbild. Von der Anwendung eines solchen Verfahrens nimmt man heute besser Abstand. Statt dessen scheint es angezeigt, den bedrängten Menschen im Glauben daran zu stärken, daß uns Gott durch seinen Geist aus innerer Not, woher immer sie auch kommen mag, befreit oder uns ermöglicht, zu ihr etwas Distanz zu gewinnen. Das kann geschehen, indem dem Betroffenen – vielleicht mit Hilfe von Worten und Szenen aus der Schrift – die Kraft und Menschenfreundlichkeit Gottes lebendig vor Augen geführt wird, oder indem man mit ihm betet, wobei freilich Inhalt und Art derartiger seelsorglicher Dienste mit großer Einfühlung auf die Situation abgestimmt werden müssen. Das alles ersetzt in vielen Fällen nicht die psychotherapeutische oder psychiatrische Betreuung. Es bewegt sich auf der Ebene des Glaubens, der aber oft auch für die Heilung psychischer Desintegrationen die entscheidende Basis bildet.

Register

Personenregister

Sachregister